# ECO FRIENDLY
# WORDSEARCH

igloobooks

# igloobooks

Published in 2023
First published in the UK by Igloo Books Ltd
An imprint of Igloo Books Ltd
Cottage Farm, NN6 0BJ, UK
Owned by Bonnier Books
Sveavägen 56, Stockholm, Sweden
www.igloobooks.com

0323 001
2 4 6 8 10 9 7 5 3 1
ISBN 978-1-80368-220-4

Designed by Simon Parker
Edited by Alexandra Chapman

Puzzle compilation, typesetting and design by:
Clarity Media Ltd, http://www.clarity-media.co.uk

Printed and manufactured in China

# No. 1    Breeds Of Pony

```
S  D  I  E  L  D  R  N  A  I  C  I  L  A  G
T  E  Z  L  L  C  R  R  M  B  A  O  M  A  Y
Z  T  E  D  E  D  T  S  E  R  O  F  W  E  N
H  T  X  D  F  D  U  P  R  B  A  S  U  T  O
E  O  M  A  S  T  U  R  I  A  N  R  R  T  P
H  P  O  S  E  L  A  D  C  F  C  T  S  D  H
S  S  O  H  Y  R  S  M  A  O  M  F  H  E  S
G  H  R  C  E  X  J  R  N  E  A  I  E  G  L
L  S  O  N  N  W  O  N  W  L  G  L  T  U  E
B  I  O  E  K  E  E  L  A  H  M  A  L  L  W
V  T  M  R  C  M  T  B  L  P  I  B  A  R  A
U  I  T  F  A  E  E  A  K  U  G  L  N  K  U
L  R  R  R  H  L  N  K  I  A  C  Q  D  P  S
Q  B  A  C  L  D  F  N  N  S  Z  U  Y  V  O
X  B  D  A  C  O  S  R  G  L  K  A  H  S  E
```

| | | |
|---|---|---|
| AMERICAN WALKING | DARTMOOR | GALICIAN |
| ASTURIAN | DELI | HACKNEY |
| BALI | EXMOOR | HIGHLAND |
| BASUTO | FALABELLA | HUCUL |
| BRITISH SPOTTED | FAROE | NEW FOREST |
| CONNEMARA | FELL | SHETLAND |
| DALES | FRENCH SADDLE | WELSH PONY |

## No. 2 Cakes

```
W G R E B N E T T A B X M V E
E T W Z R L K G I A S Z S G S
K T N I M L A D N E K P D C A
A F A S E L C C E O E G H D O
C F W S R H P Y K R P E R Y S
A U L D E P U Y U F E S I R K
E J P E Y S C S S O R J I X
T P Z S G I N G E R B R E A D
W E D D I N G C O F F E E F V
B I R T H D A Y E L R T P S R
E L Y B A K E W E L L T A R T
O T E V E H T D N U B R H B U
U T U M U L I M O T O R R A C
H T U R O S Z E E W N P A T B
G K A K E N O T T E N A P M S
```

| | | |
|---|---|---|
| ANGEL | CHEESECAKE | LEMON |
| BAKEWELL TART | COFFEE | MARBLE |
| BATTENBERG | CUPCAKE | PANETTONE |
| BIRTHDAY | ECCLES | SPONGE |
| BLACK FOREST | FAIRY | TEACAKE |
| BUNDT | GINGERBREAD | UPSIDE-DOWN |
| CARROT | KENDAL MINT | WEDDING |

## No. 3 Visit To The Zoo

```
P J E T T G U E E R B Y W U Q
Q R L W T O P S L S A P J U F
A Y H R S N A K E H B R B S G
T P Y R R F A D P P O E L L T
L C R L M L B W H I O V S L E
A E X A I O O R A G N A K A C
L D P W E W N A N L N E Q M P
O J N T N B N K T T L B Q A M
M B Y A I A C Z E B R A N K R
Y A L R P O J A L Y P T B W R
S D E D U E T T W E H R I Y T
O G M G C E G A Z E L L E E S
P E A A R D V A R K B U U M W
U R C R O T A G I L L A I R U
L H U S P V W V P Q T T U A W
```

| AARDVARK | CAMEL | PANDA |
|----------|-------|-------|
| ALLIGATOR | COUGAR | PANTHER |
| ANTEATER | ELEPHANT | PORCUPINE |
| BABOON | GAZELLE | SNAKE |
| BADGER | KANGAROO | WALLABY |
| BEAR | LLAMA | WOLF |
| BEAVER | MONKEY | ZEBRA |

# No. 4　Homework Excuses

```
T  I  N  O  K  N  I  T  L  I  P  S  E  F  E
D  E  H  S  A  R  C  R  E  T  U  P  M  O  C
E  T  T  K  U  L  O  Y  F  O  O  U  I  R  A
M  S  I  O  T  E  U  S  T  O  U  S  T  G  U
M  I  E  O  H  F  L  U  I  H  T  B  F  O  G
A  S  T  B  D  T  D  B  T  A  O  S  O  T  H
J  T  A  Y  A  O  N  O  A  R  F  T  T  T  T
R  E  G  M  N  N  T  O  T  D  P  I  U  O  F
E  R  O  T  E  D  T  H  X  A  C  O  S  I
T  T  D  S  L  R  O  R  O  S  P  K  N  A  R
N  O  R  O  O  A  I  O  M  G  E  B  A  V  E
I  O  P  L  T  I  T  P  E  P  R  R  R  E  I
R  K  N  I  S  N  I  D  E  P  P  O  R  D  I
P  I  U  Y  A  W  A  W  E  L  B  K  F  L  W
T  T  R  T  I  K  O  O  T  D  N  E  I  R  F
```

| | | |
|---|---|---|
| BLEW AWAY | FORGOT TO SAVE | RAN OUT OF TIME |
| CAUGHT FIRE | FRIEND TOOK IT | SISTER TOOK IT |
| COMPUTER CRASHED | LEFT IT AT HOME | SPILT INK ON IT |
| COULDN'T DO IT | LEFT ON TRAIN | STOLEN |
| DOG ATE IT | LOST MY BOOK | TOO BUSY |
| DROPPED IN SINK | OUT OF PAPER | TOO HARD |
| FORGOT TO DO IT | PRINTER JAMMED | USB STICK BROKE |

## No. 5  Sports

```
J  J  T  G  S  U  C  S  I  D  S  I  S  Q  S
M  L  H  A  N  D  B  A  L  L  S  B  K  T  Q
K  Q  G  H  P  I  N  R  N  R  I  T  I  L  G
A  T  R  P  O  H  T  P  B  O  R  L  I  G  G
R  T  E  Z  R  C  B  A  Z  O  E  S  N  N  W
A  T  K  J  I  C  K  U  K  Q  W  I  G  I  I
T  R  O  J  E  E  R  E  A  S  O  L  N  L  Q
E  Z  O  U  N  E  U  O  Y  A  R  D  I  G  P
G  S  N  F  T  H  L  L  Q  C  S  P  N  N  Y
G  L  S  T  E  T  A  O  R  U  E  T  N  A  G
Z  W  I  O  E  R  C  P  R  U  E  E  U  O  O
S  O  I  D  R  U  A  F  Y  R  G  T  R  A  L
R  B  U  M  I  C  I  U  T  P  L  B  C  H  F
Z  C  N  S  N  N  A  R  C  H  E  R  Y  T  J
I  N  R  R  G  L  G  L  O  R  S  A  D  W  L
```

| | | |
|---|---|---|
| ANGLING | GLIDING | POLO |
| ARCHERY | GOLF | RUGBY |
| BOWLING | HANDBALL | RUNNING |
| BOWLS | HOCKEY | SKATING |
| CANOEING | KARATE | SKIING |
| CROQUET | LACROSSE | SNOOKER |
| DISCUS | ORIENTEERING | WINDSURFING |

# No. 6   Coffee Break

```
U T A B O M B O N P D A P D T
N M N A D U P U K Z I L S V M
O S L A A E G A K V U V A W E
S P L A T A F P F L K O H W L
C L Z U R S E L Z V I E N N A
I R C L O K N H A O D M A N N
X W M A C C H I A T O O M I G
X U A I P S L F M T W C E D E
V F L T O P W A U E R H R H S
A A I C E D U R T R B A I R P
A T Q L O A K C R T E C C T R
P U U R T I L S C S E C A A E
P A E Z S E T H S I R I N R S
X P U H I Z R L P R N N O F S
P F R A P P U C C I N O R T O
```

| | | |
|---|---|---|
| AMERICANO | FLAT WHITE | MACCHIATO |
| AU LAIT | FRAPPUCCINO | MELANGE |
| BOMBON | ICED | MILK |
| CAPPUCCINO | INSTANT | MOCHACCINO |
| CORTADO | IRISH | RISTRETTO |
| ESPRESSO | LATTE | TURKISH |
| FILTER | LIQUEUR | VIENNA |

## No. 7    Political Parties Of The World

```
P H R U O B A L H B I L Y L C
L I B E R A L D E M O C R A T
C M C Q F F B A N P U K A I R
I U O O C O N V E R G E N C E
T W N H M Z R U E O W E O O P
A N S I A M S M R Y W G I S U
R F E N T W U W G A P T T N B
C R R D A Y V N L L I E U A L
O A V P N T I L I I R W L I I
M L A Q K E I L B S A O O T C
E U T W G A P O D T T R V S A
D P I G N I O E N N E K E I N
T O V C T A X T D A R E R R W
S P E O P L E S C N L R O H J
S F S R S O C I A L I S T C S
```

| | | |
|---|---|---|
| CHRISTIAN SOCIAL | LABOUR | REFORM |
| COMMUNIST | LIBERAL DEMOCRAT | REPUBLICAN |
| CONSERVATIVE | NATIONAL | REVOLUTIONARY |
| CONVERGENCE | NEW ALLIANCE | ROYALIST |
| DEMOCRATIC | PEOPLE'S | SOCIALIST |
| GREEN | PIRATE | UNITY |
| INDEPENDENT | POPULAR | WORKERS' |

## No. 8 Do The Right Thing

```
K G Y S D T L L Q H F F R R H
K A T B E H A V I O U R N X T
L P I D R U S V E T S A H C S
R C R A E C L D O C E E T T T
V V G I N D S A R H P L T R H
J I E W N D N U V A C B U Y G
X R T P A C P I O L D O Q P I
A T N K M U I R M E A N N U A
A U I H L O E P O H T R A Y R
S O U O L T R N L P G H O T T
O U U N E W U A N E E I G M S
N S A E W C P O L L D R H I R
P L A S S L A E D I N O O C R
J U S T C O N D U C T F O E S
U V R U O R K D Z R P Y S G T
```

| | | |
|---|---|---|
| BEHAVIOUR | INTEGRITY | PURE |
| CHASTE | JUST | RIGHTEOUS |
| CONDUCT | MORAL VALUES | SCRUPULOUS |
| GOOD | MORALITY | STANDARDS |
| HIGH-MINDED | NOBLE | STRAIGHT |
| HONEST | PRINCIPLED | VIRTUOUS |
| IDEALS | PROPER | WELL-MANNERED |

## No. 9    Hair Care

```
L R R E T A I E D A T T Y A I
U C Y H E N I P R I A H D R W
O S A L T S P R A Y A S R E T
Z S R E N E T H G I A R T S U
S H P J D U E Y R L O Z B I R
R A S R Y S U G L F F T P M E
M M R R E Y R D R I A H X U L
R P I P O I R E T O N O A L B
N O A B P S Z K L F Z G B O B
R O H M O U S S E R P A W V O
K O D N A B R I A H U A R A B
Q N T T T P G R C A S C T C X
R Q C R I M P E R S L U F O U
Y R B U O X Y N P I R U R M E
E R U Q R R S K P A T M L B B
```

| | | |
|---|---|---|
| BOBBLE | DYE | RAZOR |
| BRAID | HAIRBAND | SALT SPRAY |
| BRUSH | HAIRDRYER | SCISSORS |
| CLIP | HAIRGRIP | SHAMPOO |
| COMB | HAIRPIN | STRAIGHTENERS |
| CRIMPERS | HAIRSPRAY | STYLING WAX |
| CURLERS | MOUSSE | VOLUMISER |

## No. 10 Under Pressure

```
P K E S L C K D L M I F C L O
P K D C A C U T E D N O W G D
Y J O U R G E N T Z T R Z L N
L L Z N R U G O E T E C C S I
W W B R A E S X N N E Y Z A
H C V L K W S H S A S A U T R
D R Y R A C T S I T E L R Q T
E Y A B R C J S O R R L A E S
G S T U B W K Z N O B E P V E
Z A M H Q O E M R P O C S D E
R W R O Z L L O A M F S G S C
T S R C E E T A G I L B O G R
C X H N E T S A H O L S A D E
W X J L V U U R C N U L D L O
R R P I R P H L E Y V V I H C
```

| | | |
|---|---|---|
| ACUTE | FORCE | OBLIGATE |
| BLACKMAIL | GOAD | SCRUM |
| CHIVVY | HASTEN | SQUEEZE |
| COERCE | HUSTLE | STRAIN |
| CRUSH | IMPORTANT | STRESS |
| DURESS | INTENSE | TENSION |
| ENSLAVE | LOBBY | URGENT |

## No. 11  Alphabets

```
V J E K G A M R O F I E N U C
O A M A L T C Y R I L L I C I
P E S T I E Q T D N O C H O F
D G M A N C S E B G D I W R U
Y U I K E S O T O E E B V O K
O R A A A G S G R R V A T U I
D M K N R K R T O A A R Y Y S
S U P A A A R G R L N A G Y I
R K P N P N L F E P A G L E J
C H J H N Y I U A H G L E L A
J I F U P G A T R A A O E L M
F C D H D G X H U B R A G I O
Z K S L P T I A A E I R S A R
C A L I N E A R B T H E H R M
A M R R R O Y K G F R L A B W
```

| | | |
|---|---|---|
| ARABIC | FUTHARK | KUFIC |
| BRAILLE | GURMUKHI | LINEAR A |
| CUNEIFORM | HIEROGLYPHS | LINEAR B |
| CYRILLIC | HIRAGANA | LOGOGRAPH |
| DEVANAGARI | IDEOGRAPH | OGAM |
| ESTRANGELO | KANJI | ROMAJI |
| FINGER-ALPHABET | KATAKANA | SYLLABARY |

## No. 12 Got It Right

```
E T R P L E T L L H N R U T H
D M L I L P D Q J R D U Q Y P
P R E C I S E B F M Q K I N V
Z N O T O P S A W Z L U D B J
P T L W C A R N O O U I A K E
U R F A R I G G R E F F M B M
N H L A U O T O D E H A A C R
E Y A E U T F N P T T I B I J
R X W T T L C D E U U T G I R
R A L C C A T A R H R H R M I
I X E I E R R L F O T F T U R
N Y S R R E U U E T W U C P E
G F S T R T T Y C S Y L A R Y
U W E S O I X O T C S S X S G
Z Q U O C L A E R A A X E E L
```

| | | |
|---|---|---|
| ACCURATE | FAITHFUL | SPOT-ON |
| AUTHENTIC | FAULTLESS | STRICT |
| BANG ON | FLAWLESS | TRUE |
| CORRECT | LITERAL | TRUTHFUL |
| EXACT | PRECISE | UNERRING |
| FACTUAL | REAL | WORD FOR WORD |
| FAIR | RIGHT | WORD-PERFECT |

## No. 13  Around Saturn

```
R D Y R L U P C L K S L R T D
O J I W W H X F A P L C T M R
C A A O V E I T I O T A I O T
I N E E N L R T E S S R R Q P
L U H N Q E O S E A I O D R K
F S R O C N I A S L R D C P P
R U P H E E B G C T V N P H N
G E E T E S L D Y A O A G O T
L H A E O U A A Y Y L P W E I
T T V M A T N P D L S Y L B T
Y E P I M E T H E U S E P E A
I M T J Z P H N Y T S M U S N
T O L H L A E I I T X X N E O
O R O N Y I U S O M U T X L C
Z P S O S S A M I M Y I O C I
```

| | | |
|---|---|---|
| ALBIORIX | EPIMETHEUS | PANDORA |
| ANTHE | HELENE | PHOEBE |
| ATLAS | IAPETUS | PROMETHEUS |
| CALYPSO | JANUS | RHEA |
| DAPHNIS | METHONE | TELESTO |
| DIONE | MIMAS | TETHYS |
| ENCELADUS | PALLENE | TITAN |

## No. 14  Just Saying

```
A L T T J O I Y E T L E G A D
K I M N H F M O L T A B R E C
Q Y Z T U U E L A R A U T V T
I K E E F R K R A M E R N T A
R D I V U L G E R E U P O Y L
K S L R N E N J T M V T L R O
U W T E E O T O I A T E T Y P
E R D S T W C I C I Q E R E K
I T N B F A S N U N W Q A O R
N A O O T Q M N L T S I H N O
K M P V R A I I A A R O I W S
S L S U G G E S T I C U U R P
E R E T G L R P E N E V O L U
Q D R A W L D E E C I O V T T
E W T S A A S S E R T R I K E
```

| | | |
|---|---|---|
| ANSWER | INTIMATE | REPEAT |
| ARTICULATE | MAINTAIN | REPLY |
| ASSERT | MUTTER | RESPOND |
| CONVEY | OBSERVE | REVEAL |
| DIVULGE | ORATE | SUGGEST |
| DRAWL | REJOIN | VOICE |
| GRUNT | REMARK | VOTE |

## No. 15  Types Of Snake

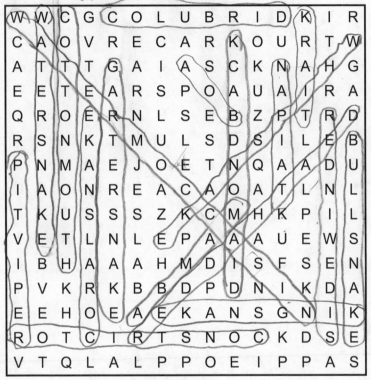

```
W W C G C O L U B R I D K I R
C A O V R E C A R K O U R T W
A T T T G A I A S C K N A H G
E E T E A R S P O A U A I R A
Q R O E R N L S E B Z P T R D
R S N K T M U L S D S I L E B
P N M A E J O E T N Q A A D U
I A O N R E A C A O A T L N L
T K U S S Z K C M H K P I L L
V E T L N L E P A A A U E W S
I B H A A A H M D I S F S E N
P V K R K B B D P D N I K D A
E E H O E A E K A N S G N I K
R O T C I R T S N O C K D S E
V T Q L A L P P O E I P P A S
```

| | | |
|---|---|---|
| BOA | DIAMONDBACK | RACER |
| BULL SNAKE | GARTER SNAKE | SEA SNAKE |
| COLUBRID | GRASS SNAKE | SIDEWINDER |
| CONSTRICTOR | KING SNAKE | TAIPAN |
| CORAL SNAKE | KRAIT | WATER MOCCASIN |
| COTTONMOUTH | MAMBA | WATER SNAKE |
| DEATH ADDER | PIT VIPER | WHIP SNAKE |

## No. 16  Famous Books

```
U L Y S S E S T O I D I E H T
T E B O F C S A C C E B E R E
S B M E C A E P D N A R A W U
I S O N S A N D L O V E R S G
W Z A N N A K A R E N I N A E
T R E A S U R E I S L A N D
R A M H C R A M E L D D I M E
E T M N E M D N A E C I M F O
V I A M R A F L A M I N A M N
I L Y R A V O B E M A D A M E
L O R D O F T H E R I N G S G
O L S T E T R A U Q R U O F I
T H E G R E A T G A T S B Y N
P S E I L F E H T F O D R O L
F B L E A K H O U S E V K P G
```

| | | |
|---|---|---|
| ANIMAL FARM | LOLITA | REBECCA |
| ANNA KARENINA | LORD OF THE FLIES | SONS AND LOVERS |
| BLEAK HOUSE | LORD OF THE RINGS | THE GREAT GATSBY |
| EMMA | MADAME BOVARY | THE IDIOT |
| EUGENE ONEGIN | MIDDLEMARCH | TREASURE ISLAND |
| FOUR QUARTETS | OF MICE AND MEN | ULYSSES |
| HEART OF DARKNESS | OLIVER TWIST | WAR AND PEACE |

## No. 17  Tool Box

```
L O R U L E R L E K L L I R D
R I A Q K S A M G N I D L E W
R J Y I A T B E G P A P F N M
P T X W H A W A C P L L E N B
L O I E U I O S T I T A P A L
J T P S R A R U E L V R X P O
I K M F Y E C R Y E I H E S W
S R A P S N S I I S N A L C T
S O L D E R I N G I R O N R O
T Z C S L E D G E H A M M E R
S Z L Z U K R T E C O W S W C
E Q O U S Q U A R E O O S S H
A T Y X T E T P I N C E R S L
N S A M A L L E T L O J U T L
R H L E F I R N S Q R I F O X
```

| | | |
|---|---|---|
| BLOWTORCH | MEASURING-TAPE | SCREWS |
| CHISEL | NAIL | SLEDGEHAMMER |
| CLAMP | PINCERS | SOLDERING IRON |
| CROWBAR | PLANE | SPANNER |
| DRILL | PLIERS | SQUARE |
| LATHE | RULER | VICE |
| MALLET | SAW | WELDING MASK |

## No. 18 Types Of Ladder

```
S  P  E  T  S  Y  R  A  R  B  I  L  Q  T  E
R  E  D  D  A  L  K  O  O  H  R  U  Y  X  L
R  E  D  D  A  L  T  H  G  I  A  R  T  S  O
S  I  D  E  L  A  D  D  E  R  F  E  F  N  F
R  E  D  D  A  L  P  E  T  S  N  E  D  W  T
A  W  K  I  T  C  H  E  N  S  T  E  P  S  L
E  N  I  L  T  A  R  E  I  R  T  E  S  S  A
R  E  D  D  A  L  F  O  O  R  P  L  C  T  D
R  E  D  D  A  L  N  R  E  T  S  E  A  E  D
R  E  D  D  A  L  M  R  O  F  T  A  L  P  E
R  E  D  D  A  L  E  P  O  R  A  E  E  S  R
R  E  D  D  A  L  G  N  I  L  L  O  R  T  B
R  E  D  D  A  L  N  O  I  N  A  P  M  O  C
R  E  D  D  A  L  G  N  I  D  L  O  F  O  U
R  E  D  D  A  L  Y  A  W  G  N  A  G  L  P
```

| | | |
|---|---|---|
| COMPANION LADDER | LIBRARY STEPS | ROPE LADDER |
| ETRIER | LOFT LADDER | SCALE |
| EXTENSION LADDER | PLATFORM LADDER | SIDE LADDER |
| FOLDING LADDER | QUARTER LADDER | STEPLADDER |
| GANGWAY LADDER | RATLINE | STEPSTOOL |
| HOOK LADDER | ROLLING LADDER | STERN LADDER |
| KITCHEN STEPS | ROOF LADDER | STRAIGHT LADDER |

## No. 19 Medicine Cabinet

```
V Y T F P E W I B T G P Z Y C
I R P H T T U N L A R E O O O
T A A P R H N S F E N E Z C U
A N T I D O T E S Z U D O D G
M D N L R O A C M I O V A H H
I M R L U A R T M T T P C G M
N S E O G I E R L T A A D X E
S S L R P R M E P O P E G F D
O U L T U S E P U S Z E R E I
Z R I R R C D E U I A E T T C
R O K Q Y Y Y L S S R L N E I
N E N H S T E L B A T Y Q G N
E S I Y C U S E D A T I V E E
M L A P P L T N E M T N I O I
T U P K U A N T I B I O T I C
```

| | | |
|---|---|---|
| ANTIBIOTIC | DRUG | SEDATIVE |
| ANTIDOTE | INSECT REPELLENT | SYRUP |
| BANDAGE | OINTMENT | TABLET |
| CAPSULE | PAINKILLER | THROAT LOZENGE |
| COUGH MEDICINE | PILL | TISSUE |
| CURE | PRESCRIPTION | TREATMENT |
| DROPS | REMEDY | VITAMINS |

## No. 20  Popes

```
P S Y L V E S T E R Y B R P H
V E U O W G R C L E M E N T T
R S T N S E A O J N D N R N X
H S T S I U U A W I P E S T U
A F U U K R I R L T D D U U P
D U I I X U E S B N A I E H Z
R I N L G E D V A A L C C J R
I L N U L R R X E T N T A H E
A B O J E J E O D S S Z F L S
N I C H O L A S D N Y A I L R
J W E H A G R E G O R Y N U O
F E N I T S E L E C E G O A P
U J T I D H A K L S R H B P E
G U S I T L Q U Y V I C T O R
C V M S I K R M Y A X T I I X
```

| | | |
|---|---|---|
| ALEXANDER | GREGORY | PAUL |
| ANASTASIUS | HADRIAN | SERGIUS |
| BENEDICT | INNOCENT | SEVERINUS |
| BONIFACE | JOHN | SYLVESTER |
| CELESTINE | JULIUS | THEODORE |
| CLEMENT | LEO | URBAN |
| CONSTANTINE | NICHOLAS | VICTOR |

## No. 21  Shades Of Pink

```
K X A C X U X I G R G G R M O
T E H J G S O K U U I X Y E H
E T L O G N I M A L F E S K C
I Z Q O P E I P P A U H C E A
I D P P O S P K Z A E D R U E
R I E T E O V R C L H I U P P
U C H E R R Y B L O S S O M E
I A K O P H S P T E H X D I V
I S D T R C I I M A S S A R I
T Z S H T N A R A M A T P H R
L S U U K E L R B N L S M S A
P X L L W R J R M U M I O Z S
U R T I S F I Z U I O I P L U
C O R A L N O I T A N R A C N
B R A N K C Y C L A M E N R Q
```

| | | |
|---|---|---|
| AMARANTH | DEEP CARMINE | PUCE |
| BRINK | FLAMINGO | SALMON |
| CARNATION | FRENCH ROSE | SHELL PINK |
| CERISE | HOT | SHOCKING |
| CHERRY BLOSSOM | PEACH | SHRIMP |
| CORAL | PERSIAN | THULIAN |
| CYCLAMEN | POMPADOUR | ULTRA |

## No. 22 Varieties Of Wine

```
H E R R E C N A S I L B A H C
V C K E H X U A E D R O B L L
A H L N E L O O M Y E X T I A
O A A I R O A Y I S T D S I R
J R N M M G S S L C S E S O E
Y D G A I U R E L A I X P W T
G O U R T T A E O S N W A H O
T N E T A S N R N R A S T Q L
U N D Z G U E A F A L U L T R
T A O R E I S K I B C S E L E
F Y C U U F S L T H E H S O M
U I T W N E F O E O C I E T T
X R I E S L I N G S K R L W F
Z R F G Z K T A L L E A L C S
C F X S J I K T R H O Z Y R P
```

AUSLESE

BARSAC

BORDEAUX

CHABLIS

CHARDONNAY

CHIANTI

CLARET

GEWURZTRAMINER

GRENACHE

HERMITAGE

LANGUE D'OC

LIEBFRAUMILCH

MERLOT

RETSINA

RIESLING

SANCERRE

SEKT

SEMILLON

SHIRAZ

SPATLESE

TOKAY

## No. 23  Minerals

```
O S X T B U V S O V M Q A L E
Y O P M W M P M I C A A C T S
R F A K Z A F A C L A T O A D
E L W G R R Z O V F I P G B S
M I I Y T E T I C L A C V I H
E N X P U T K O R Z Q M A R U
H T I S T S E W I C F U L R B
U U I U V A B T A R O I E P T
R E B M U B L Y I P F N N U K
E V N T O A O Z Q R Y A I Q R
T R T C S L P R F H O R V B I
S R T K I A O N A J E U I X U
O Z C I S A U D K X B S L T R
C O R U N D U M R B V E O F E
R O B U K O Y Z V H L S C G R
```

| | | |
|---|---|---|
| ALABASTER | FLUORITE | SILICA |
| BORAX | GYPSUM | SPAR |
| CALCITE | MICA | TALC |
| CORUNDUM | NITRE | TOPAZ |
| DOLOMITE | OLIVINE | UMBER |
| EMERY | PYRITE | URANIUM |
| FLINT | ROCK SALT | ZIRCON |

## No. 24 Somewhere To Live

```
E I T M O F U S W E T M L L G
L E K C A H S Q S X A V L Y M
O T S O O N V I Y A S N R N T
O T K U A N S R G R A N G E D
S E D N O A D E M Y O O L G I
T N B T G H H O M E S T E A D
E O O R E P R R M C E Z C F W
G S B Y S A C O O I S B A E P
A I U H U R D M N L N R D R R
R A N O O S C N A A M I U A A
A M G U H O M R E H M H U C N
C R A S E N O V O I U Z A M C
I T L E E A W U H F C O I A H
V Y O L R G S O U T T A G R A
T O W C T E O O T E L A H C T
```

| | | |
|---|---|---|
| BUNGALOW | HACIENDA | PARSONAGE |
| CHALET | HOMESTEAD | RANCH |
| CONDOMINIUM | HUT | RECTORY |
| COUNTRY HOUSE | IGLOO | SHACK |
| CROFT | MAISONETTE | TOWN HOUSE |
| FARMHOUSE | MANOR-HOUSE | TREEHOUSE |
| GRANGE | MANSE | VICARAGE |

## No. 25 Gaelic Football

```
R M S E P E E P F T O I T G X
G S A D R A W R O F L L U F G
M Q S R T R T H L I O R T T P
I U S A G H T E S A S K J O C
N A A W P O R O O Q S C E W O
R R P R E D L O V T A A T U E
L E T O N L E E W I P B H J O
L B S F A O R D L I D R Y D V
R A I R L H A T N L N E J V E
A L F E T R B N U A A N O Q R
P L H N Y E S I L O H R U H C
S N O R K V S O D G K O A J A
R S E O I O O P X Q C C W P R
P S U C C R R G N I P P I T R
F R E E K I C K S A Y R A K Y
```

| | | |
|---|---|---|
| CORNER-BACK | GOAL | POINT |
| CORNER-FORWARD | HAND PASS | SOLO |
| CROSSBAR | KICK-OUT | SQUARE BALL |
| DIVOT | OVERCARRY | THROW-IN |
| FIST PASS | OVERHOLD | TIPPING |
| FREE KICK | PARALLELOGRAM | TOE-TAP |
| FULL-FORWARD | PENALTY KICK | TWO-HANDED PASS |

## No. 26 In The Attic

```
L A I R E A F A E E O A M R D
N T P N S C H O O L B O O K S
A R S A S T E A D I N C N N E
M B S T H U X C N S K V I A N
E A L M A L L D T I T B T T I
I U R F A O E A N R U O O R Z
A B Q D T R C G T B H X R E A
Z L D H S A H R B I T E S T G
Q E E Z B O O L E B O S Y A A
R S W L R T E S T T L N O W M
B S I S T W X U O I N P T Q P
L N E E R T S A M T S I R H C
G T R A I N S E T Y O A W Q O
V T P A C K A G I N G H N Q K
U C T T R S R M E T P O P T N
```

| | | |
|---|---|---|
| AERIAL | GYM | PHOTOS |
| BAUBLES | INSULATION | ROCKING HORSE |
| BINDERS | LADDER | SCHOOL BOOKS |
| BOXES | MAGAZINES | TOYS |
| BUBBLE WRAP | MONITORS | TRAIN SET |
| CABLING | OLD CLOTHES | WATER TANK |
| CHRISTMAS TREE | PACKAGING | WINTER COATS |

## No. 27 Around Estonia

```
J S G U Q A M Y Q R K L H J H
B O A E I L I S N T E T O O A
A H H L K P O D E A H O V P N
P S M V S A W N N U R X N H E
S P K A I R N T S I A V K X E
Q M W O D I S I I S S A K S
I I U R L L C T P S A E U A T
P Y K L A U I A A A G O R L R
E P A G P K Z H K A R D L A Q
W T J P S O V E U A P B S K U
E S S Z S E Y E D L G T A F S
U Q A U C S T U R I A L I O I
E M S X V O H M A E A E I E S
H B I O T E P A A K S P C U I
U W F P H H L R M K T R H S Z
```

| | | |
|---|---|---|
| ANTSLA | LOKSA | RAPINA |
| ELVA | MAARDU | RAPLA |
| JOHVI | NARVA | SAUE |
| KARDLA | OTEPAA | SINDI |
| KEHRA | PAIDE | TALLINN |
| KEILA | PALDISKI | TURI |
| LIHULA | RAKVERE | VOHMA |

## No. 28  Operas

```
B F F A T S L A F Y Q S R L O
D A P L H T O V S L F A U S T
I J R A E L B S N F G E D B T
E I I B B P E C E R O N A W H
F O N O E O R O Y E I E S I E
L E C H G R T S O T L A R L M
E D E E G G O I R T E D H L A
D I I M A Y D F T U D N E I G
E P G E R A A A S B I A I A I
R U O N S N K N E E F O N M C
M S R E O D I T L M V D G T F
A R G M P B M U V A S I O E L
U E G R E E E T U D I D L L U
S X P A R S H T O A L D D L T
Z R T C A S T E T M T F A T E
```

| | | |
|---|---|---|
| AIDA | FALSTAFF | OEDIPUS REX |
| BARBER OF SEVILLE | FAUST | PORGY AND BESS |
| CARMEN | FIDELIO | PRINCE IGOR |
| COSI FAN TUTTE | LA BOHEME | THE BEGGAR'S OPERA |
| DAS RHEINGOLD | LES TROYENS | THE MAGIC FLUTE |
| DIDO AND AENEAS | MADAME BUTTERFLY | THE MIKADO |
| DIE FLEDERMAUS | OBERTO | WILLIAM TELL |

## No. 29 Women's Chess Champions

```
G V V T O O R Y E X E L A J U
N U J E I X L I S A L A N E U
I H R U S A G O L E T I A N I
E O A V O L I A R Z I A N N I
T U P O K N Y L I R A M J I G
S Y W M O N A M A Y K A R F F
P I V N I T X U Y U H U A E A
E F O T T O R C L E H C A R R
R A D R A G L O P N A S U S G
E N A D E L E R I V E R O H A
H K O L G A R U B T S O V A J
T Y A C I R I N A K R U S H N
S I R I N A L E V I T I N A O
E D I E R E V A S E N A I D S
A N N A H A H N Z H U C H E N
```

| | | |
|---|---|---|
| ADELE RIVERO | IRINA KRUSH | RACHEL CROTTO |
| ALEXEY ROOT | IRINA LEVITINA | RUSA GOLETIANI |
| ANNA HAHN | JENNIFER SHAHADE | SONJA GRAF |
| DIANE SAVEREIDE | LISA LANE | SUSAN POLGAR |
| ESTHER EPSTEIN | MARILYN KOPUT | XIE JUN |
| HOU YIFAN | MONA MAY KARFF | XU YUHUA |
| INNA IZRAILOV | OLGA RUBTSOVA | ZHU CHEN |

## No. 30 School Subjects

```
T W S D R A M A L B F S J Y R
H I S T O R Y R T E M O E G T
M T S R A F P H Y S I C S D P
L A L C A L C U L U S I N M S
C A T A I R G E O G R A P H Y
E H N H E M B P Y G O L O I B
J R E G E H O E O C I S U M K
S Y U M U M M N G B O T A N Y
C G L T I A A A O L N U T A I
U O X F A S G T U C A D H B L
V L I R W R T E I R E I O T S
C O M P U T E R S C I E N C E
G E R M A N H T Y R S S M S N
L G T M R Z M K I J B T U O O
G S H U T S U T L L U A G S H
```

| | | |
|---|---|---|
| ALGEBRA | DRAMA | HOME ECONOMICS |
| ART | GEOGRAPHY | LANGUAGES |
| BIOLOGY | GEOLOGY | LITERATURE |
| BOTANY | GEOMETRY | MATHEMATICS |
| CALCULUS | GERMAN | MUSIC |
| CHEMISTRY | HEALTH | PHYSICS |
| COMPUTER SCIENCE | HISTORY | SOCIAL STUDIES |

## No. 31   Bouquet Flowers

```
K C O T S A E P T E E W S I N
C R S C M R T S U X S W Q W S
A C H R Y S A N T H E M U M S
M M Y M D A I S I E S E S O R
P I A S S N O I T A N R A C L
A R S R N D E W L G X P A O A
N I O R Y A I L R O P X I F R
U S S D E L P H I N I U M S E
L E A E L W L D C L J D T T B
A S U I E P O I R R I O A U R
Z S A U X R A L S A O E A L E
X M S I M L F T F I G U S I G
Q S P O G O L D E N R O D P Q
N U C J C S N W T U U E N S F
V Z U D A F F O D I L S E S O
```

| | | |
|---|---|---|
| AMARYLLIS | FREESIA | ROSES |
| CAMPANULA | GERBERA | SNAPDRAGONS |
| CARNATIONS | GLADIOLI | STOCK |
| CHRYSANTHEMUMS | GOLDENROD | SUNFLOWERS |
| DAFFODILS | IRISES | SWEET PEAS |
| DAISIES | LILIES | SWEET WILLIAM |
| DELPHINIUMS | ORCHIDS | TULIPS |

## No. 32  On Your Bicycle

```
R L M B S B L R I I O B S E S
S A N U A A R I M U L A N T E
R P B H D T S A I R P G R E K
A I O E D G F L K P C G V R A
S R P K L F U I K E R A O Y R
U G L C E D R A H I L G O T B
M M Q D S R N O R S L E R R R
D K I C K S T A N D R C V A A
P R I S C K O P H T Z A I E E
A O S S T A P L M C B R E R R
I F P C H A I N G U A R D G Y
A Y A O T P O D M L P I A N D
E R I O T H G I L D A E H K N
V A L V E R Y T T N O R F R E
A R S S R O Y I J N Q C C B X
```

| | | |
|---|---|---|
| BAGGAGE-CARRIER | GRIP | PUMP |
| BRAKE LEVER | HANDLEBAR | REAR BRAKE |
| CHAIN GUARD | HEADLIGHT | REAR TYRE |
| FORK | HUB | RIM |
| FRONT BRAKE | KICKSTAND | SADDLE |
| FRONT TYRE | MUDGUARD | SPOKE |
| GEARSHIFT | PEDAL | VALVE |

## No. 33 It's A Church

```
U R S O Q H P H F S L S Z S A
P O S T E M P L E H E A Y P S
R I M P A R I S H C H U R C H
E E H O L S H N S G T S O T R
A S Y S U O S G S O E T T A I
C U T A R D R Y T T B S A B N
H O L W R O O D P L E C R E E
I H E A Y P W G S S T R O R T
N G P R R E F F F H U O R N W
G N A Q T D O O O O O S R A I
H I H U N E E Y E E E U W C O
O T C B A K C H E S S S S L N
U E A A H R A P T B U U U E J
S E J A C I L I S A B O O O E
E M S E P K P K P I C A H H H
```

| | | |
|---|---|---|
| ABBEY | HOUSE OF GOD | ORATORY |
| BASILICA | HOUSE OF PRAYER | PARISH CHURCH |
| BETHEL | HOUSE OF WORSHIP | PLACE OF WORSHIP |
| CATHEDRAL | KIRK | PREACHING-HOUSE |
| CHANTRY | LORD'S HOUSE | SHRINE |
| CHAPEL | MEETING-HOUSE | TABERNACLE |
| DUOMO | MINSTER | TEMPLE |

## No. 34 Yoga Positions

```
M D S A E X J M N Q W H E E L
O Q S T N P T R I A N G L E F
N O I T A T U L A S A U S A B
K L F U R F P X T L V O A T T
E E O M C I F K N O G L Z V X
Y F N G O M P U X I P J W P
R C O E Z P C R O C O B R A V
W G O U X E L K M S N S I D D
I N M W R I R K E A E U V F L
U O F Q F L Z O Z R L T R R M
R R L I R A I U Q T E O Q X O
B E A G L E C M B I G L O V F
A H H R L R R E B O G B G Z T
O L V P O U T C I E E X S W U
O C T W Z E S O P S D L I H C
```

| | | |
|---|---|---|
| CHILD'S POSE | FOUR-LIMBED | ONE-LEGGED |
| COBRA | FROG | PIGEON |
| COCKEREL | HALF MOON | PLOUGH |
| COW FACE | HERON | SALUTATION |
| CRANE | LOTUS | STAFF POSE |
| CROW | MONKEY | TRIANGLE |
| EAGLE | MOUNTAIN | WHEEL |

## No. 35  Background Noise

```
T R S L F E N P P T P A Q A P
S A M X S T E S U T P W A O P
A H Z A V H G M U A T E G N R
F E E D O T S C I A E R M H U
F P R K I A S A S H K R O Z H
C D E D T A K Z R I C U O A L
Z T P E B A N G A C A M B N D
T L G Z B N O I T A R B I V S
A C S E S N C C T P C L E R W
S T L Q O F K D L P Y E N S W
B L W I U R A U E L C Y W I G
O C Z F N E O H S A F R N U R
G R T Z D K A T H U N D E R Q
X A S S W S E L T S I H W·A S
O U W O C S C R E E C H G A K
```

| | | |
|---|---|---|
| APPLAUSE | CREAK | SOUND |
| BANG | KNOCK | SQUEAL |
| BELL | RACKET | THUD |
| BOOM | RATTLE | THUNDER |
| CHIME | RUMBLE | VIBRATION |
| CLINK | SCREECH | WHISTLE |
| CRASH | SNORE | WIND |

## No. 36  Greek Vases

```
S  V  L  T  I  A  L  A  B  A  S  T  R  O  N
A  S  O  N  M  A  T  S  T  R  E  I  T  C  D
E  S  U  L  E  K  Y  T  H  O  S  T  O  L  R
L  A  T  O  U  J  A  P  P  H  C  L  I  J  E
C  M  R  R  E  T  K  Y  S  P  U  C  N  A  T
B  P  O  I  N  T  E  D  A  M  P  H  O  R  A
A  H  P  R  A  Q  E  K  N  A  F  I  C  O  R
Y  O  H  A  U  A  P  K  R  N  S  O  H  H  K
G  R  O  I  A  Y  R  Y  I  A  T  L  O  P  L
Z  I  R  O  X  A  B  A  U  L  T  P  E  M  L
X  S  O  I  T  A  S  I  V  O  E  E  A  A  E
D  K  S  E  L  K  N  R  R  N  O  P  R  K  B
G  O  R  L  O  T  P  D  N  Y  T  T  S  C  O
S  S  O  S  C  A  L  Y  X  K  R  A  T  E  R
R  S  O  N  I  D  L  H  O  T  M  H  E  N  X
```

| | | |
|---|---|---|
| ALABASTRON | DINOS | OLPE |
| AMPHORISKOS | HYDRIA | PELIKE |
| ARYBALLOS | LEKYTHOS | POINTED AMPHORA |
| ASKOS | LOUTROPHOROS | PSYKTER |
| BELL KRATER | NECK AMPHORA | PYXIS |
| CALYX KRATER | NOLAN AMPHORA | STAMNOS |
| COLUMN KRATER | OINOCHOE | VOLUTE KRATER |

## No. 37  Beach Holiday

```
L G G P R T A S D G I Q R D U
S U N G L A S S E S S B X N U
T K P I C E C R E A M E P A A
S K N U R T G N I H T A B S D
R C R O T R L L A B H C A E B
F O E R I I E E O C L H Q A I
R R R E U T U B L N F T W S K
J L F C S M O S B B W O J H I
T I A L M W B L T U B W P E N
Y V H I I U I R N E R E A L I
E O X N W P R M E A W L P L O
W A V E S R P C M L T B F A V
O X R R Q C T E T I L N R S M
V K I T E Z E E R B N A U Y F
Y P C N N P F J R S D G S S T
```

| BATHING TRUNKS | KITE | SUNGLASSES |
| BEACH TOWEL | PEBBLE | SUNTAN LOTION |
| BEACH-BALL | RECLINER | SWIMMING |
| BIKINI | ROCK | SWIMSUIT |
| BREEZE | RUBBER RING | UMBRELLA |
| FLIPPERS | SAND | WAVES |
| ICE CREAM | SEASHELL | WET SUIT |

## No. 38  All Kinds Of Flavour

```
N O I S U F N I T D R A A O S
O P E R U T A N P G O X I K V
I Q G E R C R E S F H T T K S
S A N T M K O B E P J T U R S
S L I C E S M I I N I I X C Z
E F L A E R A Q V S X C S R E
R R E R G T U F O O F K E S S
P S E A S A S O R E L I S H T
M B F H N X E A D G E E T Q P
I K T C P A A Q T O N R X O L
S W Y X A S S D T C O A I I U
L A R T P R O P E R T Y T T Q
O A F Q Q V N M E I U Z B M T
S T H K E G N I T C O K P P C
X B A T I N D I C A T I O N H
```

| | | |
|---|---|---|
| AROMA | INDICATION | SEASON |
| ASPECT | INFUSION | SPICE |
| ATMOSPHERE | NATURE | TANG |
| CHARACTER | ODOUR | TASTE |
| ESSENCE | PIQUANCY | TINGE |
| FEELING | PROPERTY | TONE |
| IMPRESSION | RELISH | ZEST |

## No. 39  Renaissance Artists

```
L V M R P R A H W P G V E F R
P I S A N O U W M Y R O E C R
N H P H S B L L D V L L X Z S
R A F P K O O G H I B E R T I
R O I I I L L E R O N G I S A
R L X T I C N I V A D N D U L
S I O C I L E G N A T A E O B
I D O N A T E L L O M L R T E
E C A O R E E M R E V E A J R
Z E I T V T X E S G N H P E T
T Q L T B F T S N Z R C H Z I
A L B O T T I C E L L I A E I
R A S I O N Y T G U H M E P R
C C M G A L T O N I E B L O H
H C Y I N I L L A V A C B L Y
```

| | | |
|---|---|---|
| ALBERTI | DONATELLO | MICHELANGELO |
| ANGELICO | GHIBERTI | PISANO |
| BOSCH | GIOTTO | RAPHAEL |
| BOTTICELLI | HOLBEIN | SIGNORELLI |
| CAVALLINI | LIPPI | TINTORETTO |
| DA MESSINA | LORENZETTI | TITIAN |
| DA VINCI | MASOLINO | VERMEER |

## No. 40   Vehicles Of The World

```
S U L K Y S S X O S V T W R K
Q N A O S T A G E C O A C H U
Q Z J D O R F Y T F B T R F M
L P E N N Y F A R T H I N G G
F J C S L A N E R S U R Q M G
A U E N I K L L Q C V L R N F
Z G H O A A F C Q O E I E R C
Y G C T R B H Y X T L C K V J
E E U E O N A C D O G C A R T
R R O A N A T R T R A H H P H
R N R H O M D O A S M Q S F S
U A A P M L V T T H O T E E P
S U B Y E L L O R T C P N A R
L T N R O U Z M L A K I O R T
B N X R H P J O S P P Q B P T
```

| | | |
|---|---|---|
| BAROUCHE | MONORAIL | STAGECOACH |
| BONESHAKER | MOTORCYCLE | SULKY |
| CHARABANC | PENNY-FARTHING | SURREY |
| DOGCART | PHAETON | TANK |
| JUGGERNAUT | POST-CHAISE | TRAP |
| LANDAU | PULLMAN | TROIKA |
| MAGLEV | SPACECRAFT | TROLLEYBUS |

## No. 41   UK Daytime TV Shows

```
I  B  R  F  Y  A  W  A  D  N  A  E  M  O  H
J  E  R  E  M  Y  K  Y  L  E  M  B  C  R  S
K  O  O  C  Y  D  A  E  T  S  Y  D  A  E  R
L  O  R  E  A  L  R  E  S  C  U  E  S  H  A
O  N  W  O  D  T  N  U  O  C  E  L  H  T  M
O  E  Z  L  W  D  O  C  T  O  R  S  I  A  H
S  W  F  I  F  T  E  E  N  T  O  O  N  E  C
E  S  B  A  R  G  A  I  N  H  U  N  T  W  T
W  O  H  S  A  S  S  E  N  A  V  E  H  T  I
O  F  F  U  T  S  T  H  G  I  R  W  E  H  T
M  N  D  E  A  L  O  R  N  O  D  E  A  L  N
E  I  G  N  I  N  R  O  M  S  I  H  T  A  A
N  E  I  G  H  B  O  U  R  S  Z  J  T  K  L
S  U  A  H  S  I  R  T  F  L  O  G  I  T  A
J  D  A  I  L  Y  P  O  L  I  T  I  C  S  U
```

| | | |
|---|---|---|
| ALAN TITCHMARSH | FIFTEEN TO ONE | READY STEADY COOK |
| BARGAIN HUNT | FLOG IT | REAL RESCUES |
| CASH IN THE ATTIC | HOME AND AWAY | THE VANESSA SHOW |
| COUNTDOWN | JEREMY KYLE | THE WRIGHT STUFF |
| DAILY POLITICS | LOOSE WOMEN | THIS MORNING |
| DEAL OR NO DEAL | NEIGHBOURS | TRISHA |
| DOCTORS | NEWS | WEATHER |

## No. 42 Ruin It

```
H S H Z E S A B E D C E A P S
G D I S G R A C E M B T M U R
D R K C I A L S A A R A L S S
D T I O L N E Y Y K K L S P P
E R Z N R C R S A E Y O O I D
G C Y T R I D A U I C I I N C
R B L A C K E N T M L V L F I
A U T M U K C O U P T R D E T
D E O I T L R T P U R R O C O
E T J N E N A F O R P U Q T P
B U O A O I I S P E W T E C B
L L N T X H B A C A A W J R E
G L N E Z L S S T T R D E V Q
Z O O N I S I I A H I D S S E
I P E E M A F E D L S L U Q B
```

| | | |
|---|---|---|
| BLACKEN | DIRTY | PROFANE |
| CONTAMINATE | DISGRACE | SOIL |
| CORRUPT | DISHONOUR | SPOIL |
| DEBASE | INFECT | SULLY |
| DEFAME | MAKE IMPURE | TAINT |
| DEGRADE | MAKE UNCLEAN | TARNISH |
| DESECRATE | POLLUTE | VIOLATE |

## No. 43 White House Chiefs Of Staff

```
A D A M S E L W O B X C B V K
S X L B S E H T A Y E L A D P
R V D E W K N H K T W U K R O
P S K I N N E R U M S F E L D
U U H K A I B E C O T O R E E
N N A D R O J L H R T O N U S
C U I A L N A O E U U X J N T
A N G T P R R G N S G A A A A
T U E G T A A D E E Q M E M T
H N U Y T N Z U Y M S A Y E T
P H I O R T U S I A E E A K E
H Z P W O L Z Z S G L P A P N
F K N E A T A E S U L S L C A
C T W W M W D M E M V I U R P
S Y T A Y I U Q N M A H T E C
```

| | | |
|---|---|---|
| ADAMS | EMANUEL | PODESTA |
| BAKER | HAIG | REGAN |
| BOLTEN | JONES | ROUSE |
| BOWLES | JORDAN | RUMSFELD |
| CARD | LEW | SKINNER |
| CHENEY | MCLARTY | SUNUNU |
| DALEY | PANETTA | WATSON |

## No. 44　Dinner Time

```
R  J  C  U  D  R  P  L  P  M  U  R  U  S  L
P  R  Y  R  A  Z  Y  U  A  O  I  C  T  S  L
C  F  S  P  L  E  R  N  O  U  T  H  S  T  Q
K  T  A  U  A  C  R  O  Z  S  T  O  V  I  A
R  S  G  J  S  W  U  O  P  S  E  P  X  R  Q
L  S  S  P  I  H  C  D  N  A  H  S  I  F  X
J  T  I  A  F  T  I  L  T  K  G  B  T  R  J
U  U  D  W  P  A  A  E  X  A  A  N  G  Y  R
V  R  E  T  R  A  T  S  G  R  P  S  P  T  R
I  J  D  X  O  S  T  I  B  K  S  D  I  S  R
E  V  I  C  A  T  R  E  S  S  E  D  Z  O  P
A  C  S  U  S  T  C  D  A  J  Y  B  Z  F  O
K  J  H  R  T  U  S  T  V  H  V  A  Q  T
S  U  R  L  E  N  G  A  S  A  L  T  T  B  P
S  A  B  Z  N  S  C  C  P  P  Z  T  P  M  O
```

| | | |
|---|---|---|
| BARBECUE | LASAGNE | SIDE DISH |
| CHOPS | MOUSSAKA | SOUP |
| CURRY | NOODLES | SPAGHETTI |
| DESSERT | PASTA | STARTER |
| FAJITAS | PIZZA | STIR FRY |
| FISH AND CHIPS | ROAST | SUSHI |
| KEBAB | SALAD | TAPAS |

# No. 45   Examination Time

```
B R F B D H E M P P T A T R R
T E E H S R E W S N A E U E E
P D C N J P A L I E P E T A P
F A I A I R E S A R E A A T A
C R O E X M T N E R K S S A P
S G H S X U A P C E O Q U R T
Z R C S S A A X S I L F P E S
P H E A R R M U E B L A A V E
V R L T A G T I M I L E M I T
U P P T A N I E N X E P M S L
R T I K R E O T Y A S S E I R
W O T U Q S H Y D U T S T O D
N C L I C D C C Y A G I U N X
R O U U W P L P R O C T O R L
H U M E M O R I S A T I O N I
```

| | | |
|---|---|---|
| ANSWER SHEET | GRADE | PROCTOR |
| CHEATERS | MEMORISATION | RETAKES |
| ERASER | MULTIPLE-CHOICE | REVISION |
| ESSAY | ORAL | SIT |
| EXAMINATION | PASS | STUDY |
| EXAMINER | PENCIL | TEST PAPER |
| FAIL | PREPARATION | TIME LIMIT |

## No. 46  Bond Villains

```
R E G N I F D L O G R R I V S
O G R A L O I L I M E E J O M
T E T Y D L E F O L B V A L I
A S N L R E N A R D M R O R L
G E N E R A L M E D R A N O T
N V L V E R O P U X B C S L O
A A E E S R O U I W I T U A N
M R C R K O G S L R G O I R K
A G H T O T T C A S W I L E R
R V I C Z L R A I K I L U N E
A A F E T R X A T N L L J E S
C T F L B B A I K S I E V G T
S S R A Y I P E T I I M B A S
H U E T I H W R M U N R O B I
O G F H U G O D R A X G K D T
```

| | | |
|---|---|---|
| ALEC TREVELYAN | GENERAL ORLOV | MILTON KREST |
| BLOFELD | GOLDFINGER | MR BIG |
| DOMINIC GREENE | GUSTAV GRAVES | MR WHITE |
| ELEKTRA KING | HUGO DRAX | RAOUL SILVA |
| ELLIOT CARVER | JULIUS NO | RENARD |
| EMILIO LARGO | KRISTATOS | ROSA KLEBB |
| GENERAL MEDRANO | LE CHIFFRE | SCARAMANGA |

## No. 47 International Food

```
A S T O R F D E G D P W Y W S
I T U O G A R C X O R I J F E
P R P O L E N T A L X E L H I
J N E X C W S Y T M P N A A U
C E D T O S T E T A M E T G U
Y H R E T R U F K N A R F R M
F J O S T I A O E Z C S O X S
R O B P O E R R C U E C K O C
M Y S Z S A K F O P D H I P X
D Y A T I U R T C A O N P T N
U O G C R P E I A E I I O W S
E U R S S U U Y T L N T R F K
T E O F A L A F E L E Z T O L
A H M T T J S F D A E E E X W
L V S L Z T O R T I L L A K J
```

| | | |
|---|---|---|
| CHOP SUEY | KOFTA | RAGOUT |
| COUSCOUS | LATKE | RISOTTO |
| DOLMA | MACEDOINE | SAUERKRAUT |
| FALAFEL | PAELLA | SMORGASBORD |
| FONDUE | PAKORA | TACO |
| FRANKFURTER | PILAU | TORTILLA |
| FRITTER | POLENTA | WIENER SCHNITZEL |

## No. 48  UNESCO World Heritage Sites

```
B M S C I T Y O F B A T H I M
N O Y N A C D N A R G I U A A
K U T S I E N A P I S J C C B
I N P E T R A A I T B Q L I U
Y T R E B I L F O E U T A T S
U W R Q V M S R S A P W K Y I
W U I B Y E I I R P T T E O M
T T U R R C R I Z A K E M F B
N A A I C A E G J R A S A V E
U I N A L I S M L E K P L E L
O H I G S X A I T A A G A N I
M R Z L K H R V L H D G W I S
O T A C A O F T I I U E I C L
D N A L S I R E T S A E S E W
D T Y E L L O W S T O N E E E
```

| | | |
|---|---|---|
| ABU SIMBEL | FRASER ISLAND | MOUNT WUYI |
| ANGKOR | GRAND CANYON | PALMYRA |
| BRASILIA | HISTORIC CAIRO | PETRA |
| CITY OF BATH | KAKADU | SIENA |
| CITY OF VENICE | LAKE MALAWI | STATUE OF LIBERTY |
| EASTER ISLAND | MACQUARIE ISLAND | TAJ MAHAL |
| EVERGLADES | MOUNT WUTAI | YELLOWSTONE |

## No. 49  Nobel Peace Prize Winners

```
P U F V R L O A A T K Q U X A
I F V C K R T T Q G Q I E E U
V E H C A B R O G I N A K R J
N X E R T L I Y K U U S F S A
U R Z R R K M D M Z D E M E U
A M A B O S B I D A B E H R E
Z R A N H G L Z L D N F U R A
T H H G S E E A E C N D M B P
K D T H O S I K H P E R E S M
K U I T M L L U O R C L L L A
W Y S D A E J U N G O S M S A
S S A M R F T P M A S E T P T
K Z A K T R A B I N N P R M H
D J R R U Z K R L A O N Q G A
W W I E S E L U A L G I A T I
```

| | | |
|---|---|---|
| AHTISAARI | EBADI | OBAMA |
| ANNAN | GORBACHEV | PERES |
| ARAFAT | GORE | RABIN |
| BELO | HUME | RAMOS-HORTA |
| DAE-JUNG | MAATHAI | SUU KYI |
| DALAI LAMA | MANDELA | TRIMBLE |
| DE KLERK | MENCHU | WIESEL |

## No. 50  20th Century Chancellors

```
Y C A U Z N O C L J V A J K A
M L S N O S W A L Y S E B S L
G W Q O D P M O I A S A T M E
T A U N S O I R R R R L C L H
E L I O N B O A I B A K E T I
T R T T E R O W E I E L E K D
A A H L S R L R M N T R M U R
D N S A V K O B N J S G T I E
H O D D V T E A S E I B S O I
I B E E D A R L I N G P O Y L
X A U L R Z F D L K O L L E S
A P T T C S V W P I J W L L A
H Q J L L A O I I N F Z D A K
T N H O W E M N R S F N S E R
G G R J R R R A D O Z A R H N
```

| ANDERSON | CLARKE | LAMONT |
| --- | --- | --- |
| ASQUITH | DALTON | LAWSON |
| BALDWIN | DARLING | MACLEOD |
| BARBER | GAITSKELL | MCKENNA |
| BONAR LAW | HEALEY | OSBORNE |
| BROWN | HOWE | SNOWDEN |
| BUTLER | JENKINS | WOOD |

## No. 51  Natural Disasters

```
W R N F U T K K U G T B G N S
Z E Y T R Y S D O O L F O T T
W R N W P Q E R L I E I O S P
U J T I T D Z R Z T T R E U A
N T Y L M E B Z I P M P J N S
O W P D R A A T U F M U R A H
O A H F R R F R A E H X X M U
S B O I D K E V T E R S L I R
N O O R R C A E A H U F U U R
O F N E I L O T U Y Q T T B I
M W H N A R W P L A G U E E C
S T M N I A L I S Y S Z A F A
I I C T V T O R N A D O E K N
L H E E H U L A N D S L I D E
E N O L C Y C L I S I E K A S
```

AVALANCHE

BLIZZARD

BUSHFIRE

CYCLONE

EARTHQUAKE

FAMINE

FLOOD

HEATWAVE

HURRICANE

LANDSLIDE

LIMNIC ERUPTION

METEORITE

MONSOON

PLAGUE

STORM

TEMPEST

TORNADO

TSUNAMI

TYPHOON

WHIRLWIND

WILDFIRE

## No. 52 Classification

```
V K S N I I Y Y F E T S A C L
A S N U O P F Q R N L T E Z O
S C U A N S E O W O K Y H T N
S O R T R E D R O I G L T L P
O A U S A C G S N T I E D O G
G T Y P E T T D A A T I T R A
H E V H U I S X I C V K O A X
L V N E G O C I L I T U U A C
Y D C R A N J E S F P G K C F
O Q R E E R T I P I K P B D A
L O X D L W O L N S R V R O O
K R A A Y N L G F S W M V E T
E B A R T S Y Q U A L I T Y S
M G E G T I V M R L A O O L P
Q F P E K T Z S R C R R N I R
```

| CASTE | GROUPING | SET |
|-------|----------|-----|
| CATEGORY | KIND | SORT |
| CLASSIFICATION | LEAGUE | SPECIES |
| DIVISION | ORDER | SPHERE |
| GENRE | QUALITY | STATUS |
| GENUS | RANK | STYLE |
| GRADE | SECTION | TYPE |

## No. 53 Ports

```
K I V A J K Y E R C P R L P S
R L L Q L H Y T A N O R O O R
O E L O T S I R B A R R D R Y
Y R D E P A D F U N T A E T V
W M G H R I G S X T E N S L D
E B C E F O L Y A E V O S A E
N I R F L Z M L J S E L A N A
T F E A L T B I A E R E R D E
J E V G M O S N T G G C S L E
A M O V T S D A B L L R S I S
S T D R J I G U C A A A I S T
S Y D N E Y A A W W D B A B A
U N U G L E N O T S E K L O F
N W O T E P A C L E S N A N B
U O E I V Z T S E H W A C S T
```

BALTIMORE

BARCELONA

BRISTOL

CALAIS

CAPE TOWN

CARDIFF

DOVER

FOLKESTONE

GALLIPOLI

LISBON

NANTES

NEW YORK

NEWCASTLE

ODESSA

PORT EVERGLADES

PORT TALBOT

PORTLAND

RAMSGATE

REYKJAVIK

SAN DIEGO

SYDNEY

## No. 54 Cosmetics

```
E Y D H S A L E Y E G U O R R
W Q I K S A M E C A F L P E S
R O R E N I L P I L I U M D E
E E D E M S N O S P E N A W G
D R N A D I W R G K A R E O A
W E A O H W Z L A I B W R P L
O S E G T S O M L V Y T C E L
P N I T R S E P Z N L Y E C I
E A I C S K O Y D P O I C A U
S E H S A L E Y E E S L A F Q
O L K C I M A A L T S A F N A
O C N S R E S I R U T S I O M
L A H M T N I A P E S A E R G
P K C A P E C A F L I O A R Y
S K T S O T A K C I T S N A P
```

| | | |
|---|---|---|
| CLEANSER | FALSE EYELASHES | NAIL POLISH |
| EYELASH DYE | GREASE PAINT | NAIL VARNISH |
| EYESHADOW | LIP GLOSS | PANCAKE MAKE-UP |
| FACE CREAM | LIP LINER | PANSTICK |
| FACE MASK | LOOSE POWDER | PRESSED POWDER |
| FACE PACK | MAQUILLAGE | ROUGE |
| FACE POWDER | MOISTURISER | TONER |

## No. 55   UK And US Comedians

```
B I I R L T O N U A A R V P L
L R N S N K O E G N I N N A M
K R A O E P C H M O O Y I S R
C A G N S I R O A S E T T E A
S R I T D W R C C D U E R V V
B E L Y S E A H L N C N A E A
R K L L C E C D P O A C M E M
E R I A R S I G N M Y H M R E
M A M M N T E N O D U P F T S
N B E L R R O R F E Q H T H X
E T I I V L T X N E R J Z E N
R J T A L I A S R I L B A A E
I E I Y M T F W L A A D A V M
E S R E D N U A S E N O J D J
L E R U A L F A A P M U K R O
```

| | | |
|---|---|---|
| BARKER | GERVAIS | MERTON |
| BRAND | HANCOCK | MILLIGAN |
| BREMNER | HUMPHRIES | MORECAMBE |
| COHEN | JONES | MORTIMER |
| CONNOLLY | LAUREL | REEVES |
| DAWSON | MANNING | SAUNDERS |
| EDMONDSON | MARTIN | SEINFELD |

## No. 56 It's A Room

```
S T R E M O O R G N I N I D P
E M C M M O M O O R E R O T S
O O O O O O O O D A Y R O O M
K O M O O O O R O K P S M J O
S R M R R R R R G R L A I W O
F G O R E G G G G N K E A S R
A N N E N T N R N N I C W A E
N O R K I H I I E I I T I R T
T R O C G Y S U V E K W T S A
E T O O N T S M S I N O A I T
R S M L E K E M O N L R M R S
O T T A C K R O O M E L O S D
O R G U A R D R O O M O I O R
M S X H P J C L O A K R O O M
L K T M O O R X O B T A I S S
```

| | | |
|---|---|---|
| ANTEROOM | DRESSING-ROOM | SICKROOM |
| BOXROOM | EN SUITE | SITTING ROOM |
| CLOAKROOM | ENGINE-ROOM | SMOKING ROOM |
| COMMON ROOM | GREENROOM | STATEROOM |
| DAY ROOM | GUARDROOM | STOREROOM |
| DINING ROOM | LIVING ROOM | STRONGROOM |
| DRAWING ROOM | LOCKER ROOM | TACK ROOM |

## No. 57  Starts With 'Q'

```
R  P  R  R  O  N  G  R  R  A  T  K  P  U  I
X  C  R  T  U  A  I  L  A  Q  L  U  F  L  X
Q  I  Y  F  I  T  N  A  U  Q  H  T  N  T
Z  T  R  A  U  Q  A  R  R  Q  U  A  K  E  R
M  A  S  Q  B  Q  X  S  L  T  S  Q  I  L  R
L  R  Y  Q  U  Q  U  A  D  R  A  N  G  L  E
N  D  R  K  U  A  N  A  M  L  A  U  Q  I  V
L  A  R  E  T  A  L  I  R  D  A  U  Q  R  A
G  U  A  P  T  N  D  I  O  A  Z  O  H  D  U
Q  Q  U  Y  O  R  I  R  F  M  N  S  Y  A  Q
U  U  Q  S  A  B  A  A  U  I  D  T  F  U  Y
A  A  A  U  T  M  F  U  U  P  E  J  I  Q  G
C  F  D  R  I  A  C  O  Q  Q  L  R  K  N  L
K  F  X  X  K  C  S  N  E  D  H  E  P  P  E
R  J  P  I  C  Y  K  V  G  I  R  U  C  E  I
```

| | | |
|---|---|---|
| QUACK | QUAIL | QUARK |
| QUADRANGLE | QUAINT | QUARRY |
| QUADRATIC | QUAKE | QUARTER |
| QUADRILATERAL | QUALIFIER | QUARTZ |
| QUADRILLE | QUALM | QUATRAIN |
| QUADRUPLE | QUANTIFY | QUAVER |
| QUAFF | QUARANTINE | QUICK |

## No. 58 Farmyard Animals

```
K Y S S M X D R U P H X D S P
C E U A Y W W O E T L T G T V
U A U L W F P H C R E R E W P
D R M H U I U P I G S E E V F
Y O E E X D C E M O L J D M R
T N G L L A M A X O L T L B E
U E S A T N R C A S W K D J M
A Q G M U E E B Y E N O H B A
X R R B S K T A O G N O C K U
B W F L A C S Y E K R U T I A
A E D L R I O P E S P N T P A
C H A U T H O Y E Q N P T E T
Z O P B O C R S Q E O B D A K
V O T I A M X D R S H X L I X
E R L Y I B A S U S A S E W L
```

| BULL | DONKEY | HORSE |
| CALF | DUCK | LAMB |
| CAMEL | EMU | LLAMA |
| CAT | GOAT | PIG |
| CHICKEN | GOOSE | ROOSTER |
| COW | HEN | SHEEP |
| DOG | HONEY BEE | TURKEY |

## No. 59  Plant Bulbs

```
A C I D A N T H E R A H A W J
X M H B H M O N T B R E T I A
O C L I T R A S V P S Q X N I
D X R A N E M O N E I I S T N
O R L O I C S U E O A O I E O
N A S X C R H D I A W R X R T
O N U R A O E E C L F D A A L
I U G L Y L S P R S L O R C A
H N A I H Q L M M I J A A O G
C C R U E L C E I I N E P N P
K U L Q P K C A B A N C S I T
E L I N A E N I R E N W H T M
S U C O R C N M U T U A O E E
E S A J G O L S C I L L A R E
Y L D P R F Q K S R H L B L C
```

ACIDANTHERA

ALLIUM

ANEMONE

AUTUMN CROCUS

BLUEBELL

CHINCHERINCHEE

CHIONODOXA

CROCOSMIA

CROWN IMPERIAL

GALTONIA

GARLIC

GRAPE HYACINTH

IXIA

JONQUIL

MONTBRETIA

NERINE

RANUNCULUS

SCILLA

SNOWDROP

SPARAXIS

WINTER ACONITE

## No. 60  Types Of Shoe

```
T T D N M A V C W W A S I T I
R S U Z B P I O I R Z S R O H
O H T R Y O P U M P A H O T A
G O R E L L O R E N I A R T T
B H Q F L T U T D G E I Y E A
G O N A O S S A H A T E K L N
O J W O S Q L H X S Z T T I A
S G G L M F E Y A O E Q T T S
Z T R O I E L L I R D A P S E
J L V E L N N I S A C C O M U
B I U O P C G I P U A R J L G
D R L T E P L A T F O R M S O
L R Z K P T I V B A L L E T R
J R F M O G A L O S H O E R B
O S R E K A E N S E O T P A C
```

| | | |
|---|---|---|
| BALLET | ESPADRILLE | PLIMSOLL |
| BOOT | FLIP-FLOP | PUMP |
| BOWLING | GALOSH | SANDAL |
| BROGUE | HIGH HEEL | SLIPPER |
| CAP TOE | LOAFER | SNEAKER |
| CLOG | MOCCASIN | STILETTO |
| COURT | PLATFORM | TRAINER |

## No. 61   That Loving Feeling

```
S S T T T T A I Z B X Q A S J
S W S D I Q M J Y T D N E N U
D A E U V P O T I T E B I V E
W A T E I L U J W R S B A I N
R S B R T T R O O S I R D W I
J A V Z Z H O M U F R H V E K
H E A D O V E R H E E L S V E
U L L O R O P A S S I O N O C
G D E I W C H E R I S H M L N
J D N K A D N O I T A R O D A
Y U T S A I X I P J O T T F M
P C I S P Y S Y Y Q L L S L O
T I N S S A P O G C I D D A R
E K E U G I R T N I B A S M J
P F A O R T K K Q X B H S E T
```

| | | |
|---|---|---|
| ADORATION | INTRIGUE | ROMANCE |
| AMOUR | JULIET | ROMEO |
| CHERISH | KISS | SPARK |
| CUDDLE | LIAISON | SUITOR |
| DESIRE | LOVE | SWEETHEART |
| HEAD-OVER-HEELS | OLD FLAME | VALENTINE |
| HUG | PASSION | WOO |

## No. 62  Can Be Relied Upon

```
A K N Y T Q M L U F E R A C Q
R R A L U C I T R A P T O S E
L T F Y S C O N S T A N T D V
S H E A S U O I R T S U D N I
R O O P S U O L U C I T E M T
I R S N A T B I I Z F S K A N
G O U O O I I E L U T V F D E
O U O O N U N D S I Q R E A T
R G L P D T R S I Q T L D F T
O H U Y I Z Y A T O I C W I A
U D P O M M W G B A U A N G F
S T U D I O U S T L K S R U M
W S R E A R N E S T E I H P P
Z S C H A R D W O R K I N G L
E A S S I D U O U S S Y Y G S
```

| | | |
|---|---|---|
| ASSIDUOUS | EARNEST | PAINSTAKING |
| ATTENTIVE | FASTIDIOUS | PARTICULAR |
| BUSY | FUSSY | PUNCTILIOUS |
| CAREFUL | HARDWORKING | RIGOROUS |
| CONSCIENTIOUS | HONOURABLE | SCRUPULOUS |
| CONSTANT | INDUSTRIOUS | STUDIOUS |
| DETAILED | METICULOUS | THOROUGH |

## No. 63  Famous Aeroplanes

```
E S O O G E C U R P S W O L I
M P M I R A G E W O N T V Z V
E I N N I G S U O R O M A L G
S R E G A Y O V R A R E A R R
S I L L M Z L U L G T N I E E
E T G A L T Z V D E H A R T Y
R O S D S E O M C V R C F H L
S F U Y P N B U R D O I O G F
C S O B I O T S U E P R R I T
H T R E T L E T I E A R C F H
M L O G F A N A S H L U E O G
I O M O I G R N E K P H O R I
T U A O R A O G R C H M N U R
T I L D E Y H Y C O A E E E W
Z S G R A T S R A L O P S M D
```

| | | |
|---|---|---|
| AIR FORCE ONE | LADY BE GOOD | POLAR STAR |
| ENOLA GAY | LOCKHEED VEGA | SPIRIT OF ST LOUIS |
| EUROFIGHTER | MEMPHIS BELLE | SPITFIRE |
| GLAMOROUS GINNIE | MESSERSCHMITT | SPRUCE GOOSE |
| GLAMOROUS GLEN | MIRAGE | VOYAGER |
| HORNET | MUSTANG | WORLD CRUISER |
| HURRICANE | NORTHROP ALPHA | WRIGHT FLYER |

## No. 64  Horse Colours

```
O L P I N T O C C S E A A U I
O N E N O U T S R K K X S L T
S K A A S N J F R E D W T S P
N W D O R T I O U W A U U S H
Q X A R R S S M P B R M N B I
I K P Y S E H E O A K M T L D
P N P R G H U A F L B E S O R
E A L R N C F L S D A Z E O L
N B E E O T T Y B O Y P H D A
U Y G B N H O N W O R B C B P
S A R W I G V F A R R R R A W
F L E A B I T T E N G R E Y R
Q C Y R L L I T R L C K V L M
H I N T A L G D L A B E I P I
V P K S T E E L G R E Y L T Z
```

| | | |
|---|---|---|
| ALBINO | DARK BAY | PIEBALD |
| BLOOD BAY | DUN | PINTO |
| BLUE ROAN | FLEABITTEN GREY | ROSE GREY |
| BROWN | LIGHT CHESTNUT | SKEWBALD |
| CLAYBANK | LIVER CHESTNUT | SORREL |
| CREAM | MEALY | STEEL GREY |
| DAPPLEGREY | PALOMINO | STRAWBERRY ROAN |

# No. 65 Blues

```
S P I E V J K A D X R P L S M
U C Y A N Y L X A V S S B A U
O L T S N A E L U R E C J Y R
C K T I N D I G O S C R I R T
U C Y R N W N S A B A E U S T
A A E I A S B P S O M D A Z S
L Q O W V M P P U U B W S K A
G T Z U Y H A E W S R O Y A L
E L K N I W I R E P I P M T U
D A X R T T H G I N D I M T C
N B E P E R S I A N G Y X P Z
S O T U R Q U O I S E L R O E
I C T A T O C A U N Z E P A
L Y M E P D V K P A L V Q R C
P T E Y R T R A G E T E C C T
```

| | | |
|---|---|---|
| AZURE | INDIGO | POWDER |
| CAMBRIDGE | IRIS | PRUSSIAN |
| CERULEAN | KLEIN | ROYAL |
| COBALT | MIDNIGHT | SAPPHIRE |
| CYAN | NAVY | SKY |
| ETON | PERIWINKLE | TURQUOISE |
| GLAUCOUS | PERSIAN | ULTRAMARINE |

## No. 66  Team Sports

```
D C R S I N N E T E K C I R C
L D H G N I W O R E C C O S A
L L A B T E K S A B W U S J G
A L R O U N D E R S A T B V I
B A R U G B Y U N I O N O L H
T B G M I L E C C R L L G A S
O E N O R L P E K F L Z N C Y
O S V E L T H T I E A D I R B
F A C I T O A A Y T B J L O G
E B G U C B P B T A T R I S E
W R U K R H A R L M F S A S T
T S E R E L B L E I O S S E U
J Y I A L T I L L T S V C B O
T D P M A B E N H L A S A V Z
R U G B Y L E A G U E W A E U
```

BASEBALL

BASKETBALL

CRICKET

CURLING

FOOTBALL

HANDBALL

ICE HOCKEY

LACROSSE

NETBALL

RELAY

ROUNDERS

ROWING

RUGBY LEAGUE

RUGBY UNION

SAILING

SOCCER

SOFTBALL

TENNIS

ULTIMATE FRISBEE

VOLLEYBALL

WATER POLO

## No. 67  Stringed Instruments

```
I  T  P  R  A  T  I  S  O  R  T  U  T  R  R
E  O  J  N  A  B  N  I  L  O  D  N  A  M  S
R  R  C  Y  X  T  I  O  G  R  L  R  K  S  J
S  M  H  T  D  V  I  H  U  N  P  P  I  P  E
R  R  W  U  I  R  A  U  C  E  A  R  A  A  U
L  S  N  K  R  M  U  R  G  A  I  R  L  Z  I
A  U  I  U  L  G  Q  G  U  X  S  M  A  A  R
R  R  T  L  G  E  I  V  Y  B  P  R  L  S  E
K  E  Q  E  G  O  R  L  F  D  M  J  A  A  B
Z  U  R  L  N  Z  N  O  T  Y  R  A  B  L  E
T  W  E  E  F  F  I  D  D  L  E  U  T  Z  C
O  C  L  S  H  B  L  R  U  N  U  R  H  D  R
S  T  T  S  K  T  H  S  O  A  A  C  Y  D  P
L  J  D  K  U  P  I  I  P  X  B  B  T  L  U
A  A  W  A  J  I  A  Z  E  S  E  O  Z  O  E
```

| | | |
|---|---|---|
| ARPEGGIONE | FIDDLE | REBEC |
| BALALAIKA | GUITAR | SARANGI |
| BANDORE | HURDY-GURDY | SAZ |
| BANJO | LUTE | SITAR |
| BARYTON | LYRE | TAMBURA |
| CLARSACH | MANDOLIN | UKULELE |
| ERHU | OUD | ZITHER |

## No. 68 Constellations

```
W  L  S  C  O  R  P  I  U  S  L  A  P  T  T
Y  I  U  A  I  S  S  E  I  A  K  Y  J  W  O
K  M  R  P  G  E  M  I  N  I  X  B  T  K  C
F  A  U  R  A  I  E  P  O  I  S  S  A  C  W
G  A  A  I  S  A  T  G  S  G  D  H  L  S  T
G  D  T  C  T  E  N  T  C  S  R  L  S  C  H
P  A  N  O  S  U  T  D  A  Z  O  I  A  E  R
B  P  E  R  U  R  R  Q  R  R  N  N  V  P  U
R  E  C  N  E  S  U  S  Y  O  I  Y  U  H  A
C  G  T  U  S  A  L  A  A  S  M  U  P  E  C
M  A  S  S  R  M  B  I  M  M  S  E  S  U  M
P  S  D  I  E  A  G  A  B  S  I  T  D  S  F
E  U  U  S  P  J  J  A  A  R  N  N  V  A  T
S  S  P  L  E  O  S  E  I  R  A  H  O  S  Z
T  R  R  E  R  R  L  P  I  S  C  E  S  R  O
```

| | | |
|---|---|---|
| ANDROMEDA | CENTAURUS | PISCES |
| AQUARIUS | CEPHEUS | PYXIS |
| ARIES | GEMINI | SAGITTARIUS |
| CANIS MAJOR | LEO | SCORPIUS |
| CANIS MINOR | LIBRA | URSA MAJOR |
| CAPRICORNUS | PEGASUS | URSA MINOR |
| CASSIOPEIA | PERSEUS | VIRGO |

## No. 69  Sliding Along

```
D R A O B W O N S O P T A S K
V H R B O H K K L I E S A E T
T Y T J B O G H I K O S U F X
P W H C N R S I C B M V U Y S
A Z W Y O D A A E A I T A A L
P H J S T C H P S L K T I R I
R G G P E Y J N K L S W K D T
A C T I L I S A A L U B B A H
L A O R E I N L T G E F O Y E
O X U A K L U P I X G D L B R
H H L V S B S G N P D O I D G
R T R V M T K G G X E S B L O
T F N P O A I T O R L L I O S
C Q I R Q L D A N D S D O K T
U V U H C G K T C O E G U L S
```

| | | |
|---|---|---|
| BOBSLEIGH | KIBITKA | SLEDGE |
| COAST | LUGE | SLIDE |
| DOG SLEIGH | PULKA | SLIP |
| DRAY | SKELETON BOB | SLITHER |
| GLIDE | SKID | SNOWBOARD |
| HURLY-HACKET | SKIM | TOBOGGAN |
| ICE-SKATING | SKIS | TRAVOIS |

## No. 70 Spring Clean

```
I O W A S H S P E E W S F Q R
I U R I F G L U E N S F E W R
C P N A P S D N A K C I P S I
G L O R T E E E W E R K T S A
S P E R P T L H S P U Y G E H
L L F O A C O S P M B E K L S
L D A E A K P E G Z V U F T E
E L N S O A P R Y T X G R O R
K L G K R Z L F X A I A T P F
T U A K A I A T I O I S L S A
T R L Q Y F U M I G A T E E R
E E F T T R N N H D C I R K E
S A L U K L D T N T Y P Y A T
P E Z A P P E N I H S U P M W
T T I J V N R I N S E M P T Y
```

| | | |
|---|---|---|
| CLEAN | MAKE SPOTLESS | SPICK AND SPAN |
| DRY | NEATEN | STRAIGHTEN |
| EMPTY | RINSE | SWEEP |
| FRESH AIR | SCRUB | TIDY |
| FRESHEN UP | SHINE | VALET |
| FUMIGATE | SOAP | WASH |
| LAUNDER | SPARKLE | WIPE |

## No. 71   UK Television Channels

```
S  W  N  T  R  S  T  K  T  L  L  W  Z  L  U
D  H  L  D  C  H  A  L  L  E  N  G  E  P  R
I  I  R  R  H  L  U  O  P  G  C  X  Y  D
N  S  S  Z  C  H  A  N  N  E  L  F  I  V  E
C  T  E  C  G  I  R  N  G  O  J  P  E  H  E
P  O  I  R  O  G  T  S  N  Q  U  E  S  T  U
L  R  B  P  L  V  N  V  X  E  D  A  A  A  R
S  Y  E  I  D  Z  E  I  I  A  L  O  C  S  O
T  H  E  B  O  X  C  R  V  D  J  F  W  B  S
R  V  B  S  Y  F  Y  E  Y  I  S  T  O  O  P
Y  U  C  P  U  O  D  G  R  O  L  A  H  U  O
G  R  E  U  S  W  E  N  C  B  B  Y  S  R  R
P  Y  S  T  V  T  M  U  L  C  S  F  K  S  T
J  H  L  V  J  N  O  S  K  Y  N  E  W  S  D
T  X  U  E  N  O  C  B  B  S  A  K  P  L  L
```

| | | |
|---|---|---|
| BBC NEWS | COMEDY CENTRAL | MTV |
| BBC ONE | DAVE | QUEST |
| BIO | DISCOVERY | SHOWCASE |
| CBEEBIES | EUROSPORT | SKY LIVING |
| CHALLENGE | GOLD | SKY NEWS |
| CHANNEL FIVE | HISTORY | SYFY |
| CHANNEL FOUR | ITV | THE BOX |

## No. 72  Capital Cities

```
L M S E E I P A A A Y Z R T W
U I M O T T A W A N S K B Y A
P N O T G N I L L E W E V V S
R S K Q A A E M D I R D A M H
F K O U B M I G X Y G A U R I
V X K A A I U T A Q M R I Z N
L E G W B L D E N H H G Y C G
I A N W A T A T R A N L P A T
B P A U S S L R U S E A I O
O Q B T I L R E U C L B P R N
R S T X D H S A P M I T I O D
I H L E D W E N W A P D S W C
A Z O O A N N E I V D U O O A
N O H O U Z S L E S S U R B Z
R S O J A U A J E N R E B Q I
```

ADDIS ABABA        COPENHAGEN        OSLO

BANGKOK            KUALA LUMPUR      OTTAWA

BELGRADE           LIMA              SANTIAGO

BERNE              MADRID            VIENNA

BRUSSELS           MINSK             WARSAW

BUDAPEST           NAIROBI           WASHINGTON DC

CAIRO              NEW DELHI         WELLINGTON

## No. 73   UK Battles

```
R E T S E C R O W Y Y N A B U
B H N E D D O L F B E E E O I
A E A O W R O O M E G D E S P
N R E S T K O Z R S D O D W W
N W O D T W E S R A I L G O V
O U O O I I O S U N R L E R O
C S J D M N N T B A B U H T S
K B T A G N G G E U D C I H E
B S N A P N O T S E R P L W B
U I R U L T I T O R O Y L W A
R C Z S E B S L S N F J E I Z
N K R I K L A F L R M R W B C
S S T I R L I N G A A B E T Z
J M T T F G S H S E T M S N I
F D R O F L U F X K S S R J V
```

| | | |
|---|---|---|
| BANNOCKBURN | FULFORD | ST ALBANS |
| BOSWORTH | HASTINGS | STALLING DOWN |
| CULLODEN | LEWES | STAMFORD BRIDGE |
| EDGEHILL | MARSTON MOOR | STIRLING |
| EDINGTON | NASEBY | TEWKESBURY |
| FALKIRK | PRESTONPANS | TOWTON |
| FLODDEN | SEDGEMOOR | WORCESTER |

## No. 74  Fluffy Animals

```
O U L O L E M M I N G V M G P
T A T O M O K S P U P P Y O T
Y T P R U U G N I L K C U D Z
J L R S J N N U Z P C V J R
L R E D U P E U J M O N K E Y
R E T S M A H T V E P I O T S
E Z M O P F R F T S R I T R B
S C T I P V A T S I D O H A V
E S G E O X S A Z T K R R C A
L Y E T R I Y E R T I L X C W
L H R E I K Q S P K E S H O N
S H B R I B O U A U U I S O F
L T I R S C B A T A C I O N K
B H L E T Y U A L K E I P L L
W S A F R A E B R A L O P P E
```

| | | |
|---|---|---|
| CAT | FOX | MONKEY |
| CHICK | GERBIL | MOUSE |
| CHIPMUNK | GUINEA PIG | POLAR BEAR |
| CUB | HAMSTER | PUPPY |
| DOG | KITTEN | RABBIT |
| DUCKLING | KOALA | RACCOON |
| FERRET | LEMMING | SHEEP |

## No. 75  Shades Of Grey

```
L M Y P Y E R G T E D A C A Z
Z A B E Y E R G L O O C M Y R
N T O I R E R B W H I T E E Z
A E R C S G R G U K U V D R S
R P Z A R A E G S L R T I G A
U U T Y U A B P H E T H U E F
Q A Y E H Q H E U S N L M U L
Z T E R T O E C L A A Y T L O
Y E R G P I H S E L T T A B W
S L G E M A Q X O F I H U P R
R P S T S I L V E R A N P R E
L R Y A K C A L B H C A E P B
Z U V L K U Q P L A T I N U M
U P A S U O E R E N I C O T I
T R D E O L A T E M N U G R T
```

| | | |
|---|---|---|
| ASH GREY | DAVY'S GREY | PURPLE TAUPE |
| BATTLESHIP GREY | GUNMETAL | ROSE QUARTZ |
| BLUE-GREY | ISABELLINE | SILVER |
| CADET GREY | MEDIUM TAUPE | SLATE GREY |
| CHARCOAL | PAYNE'S GREY | TAUPE GREY |
| CINEREOUS | PEACH-BLACK | TIMBERWOLF |
| COOL GREY | PLATINUM | WHITE |

## No. 76 Educators

```
A C H E A D M I S T R E S S L
D O I N S T R U C T O R C L A
R O H I C O U N S E L L O R P
T A W Y R K T T E S L D A D I
L R E O J L M J O D E A N K C
V E A T L E S W N R C R C P N
A A C I N L S S O B N O E R I
Y D M T N H E A D M A S T E R
A E O Z U E N F T C H S E S P
H R P B F R R G H K C E A I U
G A D V I S E R R T E F C D D
Z Q F B U R V R M R C O H E Z
A J R O T C O D N W I R E N O
I G M O I T G E D B V P R T L
U O B D R Y T E Z O E K J F E
```

ADVISER

COACH

COUNSELLOR

DEAN

DOCTOR

DON

FELLOW

GOVERNESS

HEADMASTER

HEADMISTRESS

INSTRUCTOR

LECTURER

MENTOR

PRESIDENT

PRINCIPAL

PROFESSOR

READER

TEACHER

TRAINER

TUTOR

VICE-CHANCELLOR

## No. 77 Types Of Arch

```
T W T O W D F P A V I A W T R
S R F A T R E F O I L E E C L
O D O O F C O R B E L I R I A
E G N D U P P M E L C P X E T
B Q O U R B K I D I V E K N
K X U T O T C P S N L C V T E
D F O I H R T E I A O U N S M
C O S B L I V O N H B L O S G
C C T L C A C H R T A S C H E
I T I A R N T S V E R K V Q S
A L N O G E E R K A E S V O
T I T C S U A S R S P W Q X R
Y O E E D L A R N A M R O N H
Z K D T A A S O B B L D I U A
S P A M C R W H O J O E R R R
```

| BASKET HANDLE | HORSESHOE | SEGMENTAL |
|---|---|---|
| CONVEX | KEEL | SHOULDERED |
| CORBEL | LANCET | SKEW |
| ELLIPTICAL | NORMAN | STILTED |
| EQUILATERAL | OGEE | TREFOIL |
| FOUR-CENTRE | PARABOLIC | TRIANGULAR |
| GOTHIC | ROUND | TUDOR |

## No. 78  Straits

```
W L S T D Z K S M K T H P D E
T K L T B A P X R R O T K S P
O F S K R H R H U D S O N I M
S L S A H V A D M A L A C C A
H O T N A R T O A T E Q O I S
R M L R S A L G G N G V U L U
R B D E Q A A A E O E O O Y R
B O R M N R R B L R C L J F O
P K H R J T B C L S A E L K H
A F U O E J I G A A N E B E P
J U S R J C G A N I S S E M S
E K S S L M E N A I O U F P O
V B T E G A D O V E R K N Y B
G Z A A N X Y T J Y V E U D C
P L S V A O W X A S S A B J A
```

| | | |
|---|---|---|
| BASS | FOVEAUX | MALACCA |
| BERING | GIBRALTAR | MENAI |
| BOSPHORUS | HUDSON | MESSINA |
| CANSO | JOHOR | OTRANTO |
| COOK | KARA | SICILY |
| DARDANELLES | LOMBOK | SOLENT |
| DOVER | MAGELLAN | SUNDA |

## No. 79 Lakes And Lochs

```
A S T M Y P G R R X H F A R C
L V M R B I E T S U I W R V B
O O E R W R U O R R A U D T Q
S T A N G I P O H I S Z I R S
G C D Y E P N I C A R A G U A
U A S Z P G N D O N T A R I O
U A U K I B O D E N S E E K S
V Y P O N T C H A R T R A I N
L E E O N I U B B O M N N B Z
K A R T I O A U I A A E L U T
Y E I E W I L I R G S O R A A
S S O N K E G R A S M E R E T
T Z R A H U U N K O I Q R P I
I D L Y A S A Y N R K A P R O
T T E I A R P D E Y R E Q E S
```

| | | |
|---|---|---|
| BAIKAL | KARIBA | OKANAGAN |
| BODENSEE | KOOTENAY | ONTARIO |
| ERIE | LOMOND | PONTCHARTRAIN |
| EYRE | MEAD | SUPERIOR |
| GENEVA | NESS | TAHOE |
| GRASMERE | NICARAGUA | WINDERMERE |
| HURON | NYASA | WINNIPEG |

# No. 80  Musicals

```
E  N  I  L  S  U  R  O  H  C  A  A  Q  L  F
Q  V  U  O  E  P  O  P  B  I  E  Y  E  V  P
X  I  O  B  M  Y  F  A  I  R  L  A  D  Y  P
A  V  Y  L  R  I  G  Y  M  D  N  A  E  M  T
Y  A  K  O  F  E  S  A  E  R  G  E  D  H  H
A  F  C  O  P  O  V  S  T  A  C  T  E  C  E
R  O  O  D  G  B  S  I  S  C  J  P  K  T  L
P  R  R  B  K  A  U  T  L  A  R  Z  C  D  I
S  E  L  R  P  V  C  D  C  O  I  Q  I  E  O
R  V  L  O  F  E  H  I  D  E  Z  G  W  I  N
I  E  I  T  S  N  N  U  H  Y  P  T  O  A  K
A  R  W  H  N  U  C  E  O  C  W  S  I  N  I
H  V  E  E  Q  E  A  I  M  A  M  M  A  M  N
S  L  W  R  R  Q  R  O  X  Y  I  U  X  E  G
H  L  E  S  M  I  S  E  R  A  B  L  E  S  T
```

| | | |
|---|---|---|
| A CHORUS LINE | GREASE | OLIVER |
| ASPECTS OF LOVE | HAIRSPRAY | RENT |
| AVENUE Q | LES MISERABLES | THE LION KING |
| BLOOD BROTHERS | MAMMA MIA | THE PRODUCERS |
| BUDDY | ME AND MY GIRL | VIVA FOREVER |
| CATS | MISS SAIGON | WE WILL ROCK YOU |
| CHICAGO | MY FAIR LADY | WICKED |

## No. 81 Association Football

```
K T Y P A W O S M A L F W S T
L A E M I T F L A H S C U A F
R E L E G A T I O N G B C I K
S H L G T T A M P Q S K F O R
T U O T O O H S Y T L A N E P
R V W A R A P K I E K L D P T
I T C J E C L T R I T A N W L
K P A J D K U K C E E P O G V
E T R E L T C K E H D R I N N
R H D E A O A A E L C T I P
E R C I I F O F B D P N A K I
G E V S F U P G C L E E M R W
N Z E F D F S U N P L V R A D
I T N F I L P A R W P U O M K
W P R O M O T I O N O Y F S R
```

| | | |
|---|---|---|
| FIFA | MARKING | RELEGATION |
| FORMATION | MIDFIELDER | STRIKER |
| FULL BACK | OFFSIDE | SUBSTITUTE |
| GOALKEEPER | OWN GOAL | TACKLE |
| HALF-TIME | PENALTY SHOOT-OUT | WINGER |
| HEADER | PROMOTION | WORLD CUP |
| KICK-OFF | RED CARD | YELLOW CARD |

## No. 82 Golfers

```
Z W T J E L Y L Y D N A S G J
R E M L A P D L O N R A O A O
O G W N I C K P R I C E R R H
R J A N I C K F A L D O E Y N
E A N A M R O N G E R G T P D
T M A H A R G D I V A D S L A
S E R G I O G A R C I A E A L
O S A M S N E A D A K O L Y Y
F B E N H O G A N G W L L E T
K R A P A Y N E S T E W A R T
R A I A N W O O S N A M B U U
A I S A M T O R R A N C E Y S
M D O O W G I A R C R C V T A
I V T R P A T B R A D L E Y C
T A O T I G E R W O O D S P B
```

| | | |
|---|---|---|
| ARNOLD PALMER | JACK NICKLAUS | PAYNE STEWART |
| BEN HOGAN | JAMES BRAID | SAM SNEAD |
| CRAIG WOOD | JOHN DALY | SAM TORRANCE |
| DAVID GRAHAM | MARK FOSTER | SANDY LYLE |
| GARY PLAYER | NICK FALDO | SERGIO GARCIA |
| GREG NORMAN | NICK PRICE | SEVE BALLESTEROS |
| IAN WOOSNAM | PAT BRADLEY | TIGER WOODS |

## No. 83 Investment Portfolio

```
D E O D P O R E V O E K A T C
L T E P Z Z Y N X A U T O U E
S G N I N R A E W Z P I O O J
U R E K O R B K C O T S B L U
B O T T O M L I N E D R P I N
S E R U T U F A K E E O Y A D
C L T R A D E R R P R W R B E
R S T E S S A I R T R U S T R
I Q E A A M V O F S A D T P W
B T S O K A F O N R N I V M R
E K N C T I L A T I P A C V I
R N O I T I S I U Q C A O S T
I T V S O U M A J O T S O L E
S E I T I D O M M O C I L D R
S H A R E H O L D E R U J P T
```

| | | |
|---|---|---|
| ACQUISITION | DERIVATIVES | STOCK MARKET |
| ASSETS | EARNINGS | STOCKBROKER |
| BAILOUT | FUTURES | SUBSCRIBER |
| BID | LOAN | TAKEOVER |
| BOTTOM LINE | PORTFOLIO | TRADER |
| CAPITAL | PROFIT | TRUST |
| COMMODITIES | SHAREHOLDER | UNDERWRITER |

## No. 84  US Girl Groups

```
S  Y  E  N  O  H  E  H  T  S  C  L  T  Z  Q
P  N  A  E  L  L  E  B  A  L  S  I  H  S  L
D  O  O  R  U  U  D  S  L  L  W  D  E  L  A
E  Y  I  I  R  I  K  R  L  O  E  I  D  R  A
S  T  T  N  T  E  U  E  U  D  E  V  A  I  S
T  R  H  I  T  A  I  T  R  T  T  I  V  G  E
I  A  E  N  T  E  N  S  E  A  S  N  I  M  M
N  P  A  A  A  U  R  I  N  C  E  E  S  U  E
Y  A  N  S  G  Q  A  S  C  Y  N  C  S  D  R
S  M  D  K  B  I  M  E  I  S  S  S  I  M  P
C  A  A  Y  Z  S  I  T  E  S  A  R  S  U  U
H  J  N  R  Y  U  Y  O  U  U  T  F  T  D  S
I  A  T  O  V  M  A  Y  D  P  I  E  E  L  E
L  P  E  S  E  R  H  O  I  J  O  A  R  H  H
D  E  S  O  P  X  E  C  G  D  N  A  S  S  T
```

| | | |
|---|---|---|
| ALLURE | MUSIQUE | SWEET SENSATION |
| COYOTE SISTERS | NINA SKY | THE ANDANTES |
| DESTINY'S CHILD | PAJAMA PARTY | THE DAVIS SISTERS |
| DIVINE | POINTER SISTERS | THE FASCINATIONS |
| DUM DUM GIRLS | PUSSYCAT DOLLS | THE HONEYS |
| EXPOSE | RAMIYAH | THE SUPREMES |
| LABELLE | SIERRA | TLC |

## No. 85 Juices

```
D A P A R E B M U C U C L O P
I E L V A S G P Y R T D S L A
P T S I W U U W R A S T A E O
T A B S T I A C R N I O R M T
M N S S A T V T E B W O I I B
G A O S T R A W B E R R Y L B
E R N L I W G S P R R T U A L
T G A G E O T T S R D E V I P
G E N P O M N O A Y B E M L S
S M O A E C R F R E R B W L V
U O M P R F U E R R H E P I Z
R P E A R O R R T U A W L U J
R S L C Q N Y U B A I C D E H
U E L P P A E N I P W T S G C
I X L R T D O C X T O M A T O
```

| | | |
|---|---|---|
| BEETROOT | GUAVA | PINEAPPLE |
| BLUEBERRY | LEMON | POMEGRANATE |
| CARROT | LIME | RASPBERRY |
| CELERY | MANGO | STRAWBERRY |
| CRANBERRY | ORANGE | TOMATO |
| CUCUMBER | PASSION FRUIT | WATERMELON |
| GRAPEFRUIT | PEAR | WHEATGRASS |

## No. 86  Songs Covered In 'Glee'

```
T E T R P I B A U S T I T M O
Q E O N J O N E L O V E W A F
L Y X I A C K Y P V X J O K A
L A I G E V T E A A E N B M I
T E C R I F U L R S D E N L T
R R U I X V E N S F A L I F H
H I O V S R E I P U A S A M F
N A Y A I Y E S T R T C R I U
L N T E X S H I Y R E I E S L
T O E K G V F P O O Q T H E L
H I G I R U S N A V U F T R Y
A L R L L W G I G O S H R Y W
R L O M A E R D E G A N E E T
O I F Y R Z Y K C U L O V L W
R B Q S H J Z D R E A M O N L
```

| | | |
|---|---|---|
| BEAUTIFUL | LIKE A VIRGIN | STRONGER |
| BILLIONAIRE | LUCKY | SWAY |
| DREAM ON | MISERY | TEENAGE DREAM |
| FAITHFULLY | ONE LOVE | TOXIC |
| FORGET YOU | OVER THE RAINBOW | UNPRETTY |
| GIVES YOU HELL | PHYSICAL | VALERIE |
| JESSIE'S GIRL | POKER FACE | VOGUE |

## No. 87  Paper Sizes

```
O C A P G I E F E I R B S R S
E T W A A U S X U D A Q M M H
L A R U T C E T I H C R A U E
E X L A O C S B S J N L L I E
G P O R U A W L U S L S L D T
A C R T L Q D M O R S U P E R
L A I R E P M I O O P A O M W
D V G G T E F Y O V F C S K A
E E A I T U A L K L T O T A X
N K M C E L N C Y A B A C V A
M L I Y R P F R V Z U A A Y V
T P T J G A O O Z O D S T N M
J R E G D E L W P R Z E L H A
M N I F D A D N A I U Z A J A
R E Q Y N A A T Q S F I S C A
```

| | | |
|---|---|---|
| ARCHITECTURAL | FOOLSCAP | ORIGAMI |
| ATLAS | IMPERIAL | QUARTO |
| BRIEF | LEDGER | SHEET |
| CROWN | LEGAL | SMALL POST |
| DEMY | LETTER | SMALL ROYAL |
| EXECUTIVE | MEDIUM | SUPER |
| FANFOLD | OCTAVO | TABLOID |

## No. 88  National Airlines

```
E D M S R W R B F T P O T F L
W Z T A A I I J H A T A S P D
S A J Q X T A T R A B I O M N
S I L A S B N D M O E R L A A
L R V T P C A A N L L E Y N L
U F L A R A I I Q A A B M I A
F R B R O R N F D Y L I P H E
T A H A L G O A I N S E I C Z
H N J I F U T V I C I T C R W
A C N R O L S M I R A R A I E
N E O W W F E R L O L P I A N
S R I A N A E R O K D I R A R
A S X Y A I L A T I L A N I I
K S N S T R S U G N I L R E A
U B R I T I S H A I R W A Y S
```

| | | |
|---|---|---|
| AER LINGUS | BRITISH AIRWAYS | KLM |
| AIR CHINA | EL AL | KOREAN AIR |
| AIR FRANCE | ESTONIAN AIR | LUFTHANSA |
| AIR INDIA | GULF AIR | OLYMPIC AIR |
| AIR NEW ZEALAND | IBERIA | QANTAS |
| AIR PACIFIC | ICELANDAIR | QATAR AIRWAYS |
| ALITALIA | JAPAN AIRLINES | TAM AIRLINES |

## No. 89  Metals

```
R S W Y N O M I T N A K H M G
R L L I S M S R E K J D Y L U
C T U D R H U O A R S T A U M
A H T S Q B D I C R T L T L U
D O E O I Y M D D E S T G U I
M R T D M T M U R A R E F M C
I I I I E U U B I Y N Q N U L
U U U M U I S E N G A M I A
M M M F U S L B M A Z V N C
U I A T M Y O A L W U M M E B
I R Y P I M R I S Y R I R L U
S Y K E W I P H I I R X M E A
E U H T U M S I B R T E T S G
A E E M A S Y T D I R D B R O
C M U I M Y D O E S A R P B M
```

| | | |
|---|---|---|
| ANTIMONY | CALCIUM | PRASEODYMIUM |
| ARSENIC | DYSPROSIUM | RUBIDIUM |
| BARIUM | GERMANIUM | SELENIUM |
| BERYLLIUM | LUTETIUM | SODIUM |
| BISMUTH | MAGNESIUM | THORIUM |
| CADMIUM | NEODYMIUM | VANADIUM |
| CAESIUM | OSMIUM | YTTERBIUM |

**Extinct Animals**

```
A I T U H R E T S O P M I R T
X T O R R E S C A V E R A T O
H C O R U A K C U B E U L B J
W O C A E S S R E L L E T S A
O R I E N T E C A V E R A T V
R E D G A Z E L L E L T R K A
M O N T A N E H U T I A R A N
Y B A L L A W E H C A L O O T
S Y B L I B R E S S E L R P I
E D T L T H Y L A C I N E N G
A E R E G I T I L A B A P R E
M W E R H S E L U T A A M E R
I H S G C U B A N C O N E Y D
N M E X I C A N G R I Z Z L Y
K G D A G G A U Q N A P R A T
```

AUROCH

BALI TIGER

BLUEBUCK

CUBAN CONEY

DESERT BANDICOOT

EMPEROR RAT

IMPOSTER HUTIA

JAVAN TIGER

LESSER BILBY

MEXICAN GRIZZLY

MONTANE HUTIA

ORIENTE CAVE RAT

QUAGGA

RED GAZELLE

SEA MINK

STELLER'S SEA-COW

TARPAN

THYLACINE

TOOLACHE WALLABY

TORRE'S CAVE RAT

TULE SHREW

## No. 91   Grand Prix Circuits

```
T H U N G A R O R I N G N Z P
L H C H E N O T S R E V L I S
E O S T E R R E I C H R I N G
S C K R A P T R E B L A F D N
T K R I A H G N A H S N U I I
I E A Y C G S M D A Q I J A R
M N P K E A N D O H T A I N G
A H L R U E T A N N U R S A R
L E U R O Z R A P A Z H P P U
A I B G C A U T L E R A E O B
Y M N R A P W S N U S B E L R
K R A P N O T G N I N O D I U
I I T R O T A Z I Z A Y W S N
R N S P M A H C R O C N A R F
B G I B J I R S P T X U Y H T
```

| | | |
|---|---|---|
| AINTREE | FUJI SPEEDWAY | MONZA |
| ALBERT PARK | HOCKENHEIMRING | NURBURGRING |
| BAHRAIN | HUNGARORING | OSTERREICHRING |
| BRANDS HATCH | INDIANAPOLIS | SEPANG |
| CATALUNYA | ISTANBUL PARK | SHANGHAI |
| DONINGTON PARK | KYALAMI | SILVERSTONE |
| FRANCORCHAMPS | MONACO | SUZUKA |

## No. 92 Garden Flowers

```
X Y H S S L R Y I Z S E K R R
Z E R T A S P I L S W O C O E
I L P L F I I P R I M R O S E
M L A E D U S S A A I L H A D
M A O G T U T E M S M L Y W P
R V R B J U N Y M J U B L O H
F E P I E Z N M D E I C L S L
B H W A G L H I U N N Y O U O
E T R O N O I G A R A O H R X
G F I E L S L A L N R C S O C
O O M S A F Y D T U E O R R E
N Y T L A R E H O Z G B T Y O
I L V J A X U N E A J X R J H
A I T T E S N I O P H J Y E Y
A L Y S S U M R N C L C X L V
```

ALYSSUM

BEGONIA

CANDYTUFT

CONEFLOWER

COWSLIP

CROCUS

DAHLIA

GERANIUM

HOLLYHOCK

LILY OF THE VALLEY

LOBELIA

MARIGOLD

NEMESIA

PANSY

PETUNIA

PHLOX

POINSETTIA

POLYANTHUS

PRIMROSE

SALVIA

VERBENA

## No. 93 Games Consoles

```
S E S O N Y O Z R T M E U A G
L V T D O O Z E F S A O T S G
T I R G R B I O G E S N U W L
R R N A Y E S T D O T O R V E
E D E M S O A K A R E L B F N
S A W E R E B M Z T R N O J I
L G I C A A N L C C S R G E G
Z E I U E A Y I A A Y Y R W N
L M U B G G Q O N U S T A O E
T E K E E Y A T B T T T F L C
M O C I M A F G T E E R X S P
A E C N A V D A N P M N I A N
A E X N G D I U Y N L A D V E
S T L I A G K T F K T S G O B
Q S K J T U A O A N I T U T P
```

| | | |
|---|---|---|
| ADVANCE | MASTER SYSTEM | PC ENGINE |
| DREAMCAST | MEGADRIVE | PLAYSTATION |
| DSI | MICROSOFT | SONY |
| FAMICOM | N-GAGE | TURBOGRAFX |
| GAME BOY | NEO-GEO | VIRTUAL BOY |
| GAME GEAR | NES | VITA |
| GAMECUBE | NINTENDO | WII U |

## No. 94  US Television Shows

```
A A R Y T S E N O B W I T E W
J S M I M S E G G O R A E U M
R E E A D O D L A A M R N L M
E I R X R B T E D R T S N B Z
I N K I A C G A E D U K U D Y
S F R C C N H R N W I O R P R
A E G A U H D U R A A M T Y L
R L O S T T O T C L S Q E N I
F D T U H R P S H K Q Y R H E
L O D I N A C I R E M A E T T
A Y A Z S H X C N M C C S R U
H O U S E Q U N Y P L I T X G
M O D E R N F A M I L Y T A U
T A R J S D N E I R F L T Y Q
T S I L A T N E M E H T Z T L
```

| | | |
|---|---|---|
| AMERICAN IDOL | FRIENDS | NIP TUCK |
| BOARDWALK EMPIRE | GREY'S ANATOMY | NYPD BLUE |
| BONES | HOUSE | SEINFELD |
| CHEERS | JERICHO | SEX AND THE CITY |
| CHUCK | LOST | THE MENTALIST |
| ENTOURAGE | MODERN FAMILY | THE MIDDLE |
| FRASIER | NCIS | WEEDS |

## No. 95  English Counties

```
G C S T E S R E M O S X L T R
E L A T Y D N A L E V E L C I
R R O M A N E O O W I S A U E
I E I U B F E R V P M S W M D
H E R H C R F A B E E E N B I
S K R I S E I O N Y D S R R S
N L C I H T S D R D S U O I Y
L O A R H S L T G D W H C A E
O F T P A S P I E E S E I I S
C R U I B G E M W R S H A R R
N O T T I N G H A M S H I R E
I N R U R G I N C H O H I R M
L L E I C E S T E R S H I R E
B U C K I N G H A M S H I R E
P L H L C L A N C A S H I R E
```

| | | |
|---|---|---|
| BUCKINGHAMSHIRE | DEVON | MERSEYSIDE |
| CAMBRIDGESHIRE | ESSEX | NORFOLK |
| CHESHIRE | GLOUCESTERSHIRE | NOTTINGHAMSHIRE |
| CLEVELAND | HAMPSHIRE | SOMERSET |
| CORNWALL | LANCASHIRE | STAFFORDSHIRE |
| CUMBRIA | LEICESTERSHIRE | TYNE AND WEAR |
| DERBYSHIRE | LINCOLNSHIRE | WILTSHIRE |

## No. 96 Feeling Inadequate

```
B A W K W A R D O X E K T Y T
C S R A Y K C U L N U D C U U
V C S S E L K C U L I D D R I
D J R U O I O T E S S E E L V
I O B E D R L H P L T T S U D
D N W D S E R I C C L A P F E
E T A N U T R O F N U F O N J
S W G P C I F R W N A L N R E
I Y S M T A S A A F H L D U C
V S X E V M S M L T U I E O T
D M D S R R A T U L S L N M E
A U N S U I T A B L E L T R D
L L X R V T O O L W G N L O I
L C A S D E S S E R P E D I P
I N A P P R O P R I A T E L J
```

| | | |
|---|---|---|
| AWKWARD | DOWNCAST | LUCKLESS |
| CLUMSY | GLUM | MELANCHOLY |
| CRESTFALLEN | ILL-ADVISED | MOURNFUL |
| DEJECTED | ILL-FATED | SORROWFUL |
| DEPRESSED | ILL-STARRED | UNFORTUNATE |
| DESPONDENT | INAPPROPRIATE | UNLUCKY |
| DISPIRITED | INAPT | UNSUITABLE |

## No. 97 US Secretaries Of State

```
A E S C A O A H Q I G I I A E
E A C F J R S R G U L P A O T
F L L I O G L L A P A W I I Y
T E S G L T S P R Q P A A O I
D C E K W W A G O U R C Q Z B
C R O E D R K N E Q T I G U R
S H U L T Z N O T N I L C W A
F U R L B R O S H J R O V E B
Y L A O L Y X M E O I A H A S
M L C G P A A I R R N O K N M
U A H G R O H T T C Z E Y Y N
S R E P P A W S E N R Y B H E
K I S S I N G E R U S K T N S
I K O G Q W S J L A L I P O A
E G N I S N A L J L M Q V S S
```

| ACHESON | HULL | POWELL |
|---------|----------|---------|
| BAKER | KELLOGG | RICE |
| BYRNES | KISSINGER | ROGERS |
| CLINTON | KNOX | RUSK |
| COLBY | LANSING | SHULTZ |
| HAIG | MARSHALL | STIMSON |
| HERTER | MUSKIE | VANCE |

## No. 98   Literary Terms

```
R U E L I S I O N L S C P T Z
N E E L I M I S T J W C F E T
W B N R A P O S T R O P H E A
O M E I O S I S E N O L P L U
F W J T W H L H S H H C L P Q
X A T N Y S P O R Y T I H T U
G U C E R I N A P B T I E E T
V P E N T A M E T E R S T C E
U A O E N R R V R E P T S N C
N R Z C D B A A E K M F E A A
T A E N O N T M T S A S A N E
P D S L A I O R E T A I P O S
L O E R O T O P F T A P A S U
X X J N Q P S T S K E R N S R
M T R S E U P H O N Y R A A A
```

| | | |
|---|---|---|
| ALLITERATION | ELISION | SIMILE |
| ANAPAEST | EUPHONY | SPONDEE |
| ANTITHESIS | HYPERBOLE | STANZA |
| APOSTROPHE | MEIOSIS | SYNTAX |
| ASSONANCE | METAPHOR | TETRAMETER |
| CAESURA | PARADOX | TROCHEE |
| CONSONANCE | PENTAMETER | TROPE |

# No. 99  Four Consecutive Vowels

```
A  A  K  R  I  A  A  B  W  C  Z  O  E  Z  E
C  I  T  U  E  I  A  M  S  I  K  B  B  I  D
T  S  E  Q  U  O  I  A  I  P  E  S  I  U  E
G  S  U  O  I  U  N  E  T  O  R  E  H  X  U
P  N  T  B  P  O  U  S  Y  R  O  Q  O  G  I
S  L  I  Q  L  O  C  S  J  H  G  U  M  O  S
H  G  A  U  Q  O  P  A  L  T  I  I  O  O  C
Y  I  T  T  E  K  O  O  I  N  A  O  I  I  V
D  E  Q  U  E  U  E  I  S  A  O  U  O  E  Y
R  T  E  R  R  A  Q  U  E  O  U  S  U  S  C
B  R  E  L  I  Q  U  I  A  E  R  G  S  T  T
M  Y  T  H  O  P  O  E  I  A  W  P  I  Y  O
S  A  O  U  A  R  I  L  D  L  U  F  A  F  G
I  V  A  I  E  O  P  O  T  A  M  O  N  O  S
Y  P  H  A  R  M  A  C  O  P  O  E  I  A  R
```

| | | |
|---|---|---|
| BLOOIE | MAIEUTIC | PROSOPOPOEIA |
| COOEE | MYTHOPOEIA | QUEUING |
| DEQUEUE | OBSEQUIOUS | RELIQUIAE |
| GIAOUR | ONOMATOPOEIA | SAOUARI |
| GOOIEST | PALAEOANTHROPIC | SEQUOIA |
| GUAIAC | PHARMACOPOEIA | TENUIOUS |
| HOMOIOUSIAN | PLATEAUED | TERRAQUEOUS |

## No. 100 Found Under The Bed

```
U G S S R D R A N R O O G S A
H R S B P S O G W K D C H R O
M A G A Z I N E S R O O I K U
S E I N S R E P A P E S K U R
Q W M R I G G W R S M H S N A
A R E P B D E L K T M A T P R
D E O O T R D S T O O I O U L
U D L Z S Y U E N R A R I A S
L N Q S B I B S B A P B L V C
F U S E M S T O H G L O E A T
T U K U U E F S T E G B T R R
T O Y S R L I G O T T B R R E
U T R S C I N A G C L L I S E
F R S I C F V B O J K E E B R
Q P K T A S P I D E R S S S J
```

| | | |
|---|---|---|
| BAGS | FILES | SOCKS |
| BEDDING | HAIR BOBBLES | SPIDERS |
| CAT | HAIRBRUSH | STORAGE |
| CRUMBS | MAGAZINES | TISSUES |
| DOG | MONSTERS | TOILETRIES |
| DRAWERS | PAPERS | TOYS |
| EMPTY BOTTLES | SHOES | UNDERWEAR |

## No. 101 Extreme Sports

```
G O E S T E E P L E C H A S E
G N I P M U J F F I L C R Z J
N N K G N I V I D P E E D K L
I C I G N I P M U J I K S U R
P A T B S K Y D I V I N G T H
M R E V M T G N I L I E S B A
U R S G N I P M U J E S A B N
J A U R A L L Y D R I V I N G
E C R F O K I C K B O X I N G
E I F R G N I I K S T E J E L
G N I B M I L C E C I R P U I
N G N I D R A O B W O N S L D
U E G G N I L I A S A R A P I
B S S O R C O T O M D Z S N N
U B Y A F R E E R U N N I N G
```

| | | |
|---|---|---|
| ABSEILING | HANG-GLIDING | PARASAILING |
| BASE JUMPING | ICE CLIMBING | RALLY DRIVING |
| BUNGEE JUMPING | JET SKIING | ROCK CLIMBING |
| CAR RACING | KICKBOXING | SKI JUMPING |
| CLIFF JUMPING | KITESURFING | SKYDIVING |
| DEEP DIVING | LUGE | SNOWBOARDING |
| FREE RUNNING | MOTOCROSS | STEEPLECHASE |

## No. 102 It's A Job

```
Z S A B Y F Z R T D H L U M R
B S C U T V J B C X T C Y T R
V E R O R E K A M E O H S H A
R R A U R T R M P T L A O T W
G T F U E E E U W E I U L A I
N I T G T R L S U F P F D T Z
T A S I N I C I T O O F I H Y
P W M K E N C C L B C E E L M
P T A J P A E I W F A U R E O
F O N G R R T A A U E R C T A
I J E L A I F N O N O H B E S
P R O T C A R E T I A W C E A
P H E I Z N R E E N I G N E R
I N A M R E H S I F N A X T U
U N N Z R O F C E H Y S D H W
```

ACTOR

ATHLETE

BARBER

BEAUTICIAN

CARPENTER

CHAUFFEUR

CHEF

CLERK

CRAFTSMAN

ENGINEER

FISHERMAN

MECHANIC

MUSICIAN

PILOT

POET

POLITICIAN

SHOEMAKER

SOLDIER

VETERINARIAN

WAITER

WAITRESS

## No. 103 In The Garden

```
K Y E O E P A T I O Q R T I O
W A T E R G C Z O I R E X M P
M C W U T I U R F W S E P Z T
R V N D R I V E E L S S O M T
L E A V E S H I R U Z U C T Y
R G G W E P G H A S B F X P P
E E A N S G O I L U I E P G Y
W T P Z U S D N W A L C S S L
O A H A E O I E D I O Y P C R
M B S S V B L H H Z A F A T R
V L I T U I O P I R J A T L O
K E H T A B N U S B R E H S H
I S R I A H C G U O B Z U O R
L K U K S C B C S N R T H Q X
Y V I T T T V R P Q D P T N E
```

BUSH

CHAIRS

DRIVE

FRUIT

GAZEBO

HEDGE

HERBS

HOSE

LAWN

LEAVES

LOUNGER

MOWER

PATH

PATIO

PAVING

POND

PRUNER

SUNBATHE

TREES

VEGETABLES

WATER

# No. 104 Job Application

```
T  F  N  M  P  I  H  S  N  E  Z  I  T  I  C
T  J  R  M  I  D  D  L  E  N  A  M  E  T  O
U  P  W  T  J  R  C  T  O  A  H  V  L  V  U
H  K  L  E  X  P  E  R  I  E  N  C  E  G  N
E  T  R  V  D  E  D  O  C  T  S  O  P  B  T
E  E  R  P  Q  U  B  T  D  S  Y  L  H  M  R
L  M  M  I  O  C  C  U  P  A  T  I  O  N  Y
Y  A  A  P  B  S  E  A  R  C  I  R  N  P  L
R  N  G  N  L  F  I  M  T  W  C  K  E  L  M
A  T  E  Y  Y  O  O  T  P  I  O  F  N  E  D
L  S  Y  V  J  L  Y  E  I  L  O  U  U  S  T
A  A  I  I  Z  P  I  E  T  O  O  N  M  W  U
S  L  L  I  K  S  O  M  R  A  N  Y  B  Q  Y
S  P  R  E  S  E  N  T  A  D  D  R  E  S  S
O  E  M  A  N  T  S  R  I  F  K  C  R  E  T
```

| | | |
|---|---|---|
| AGE | EMPLOYER | POSITION |
| CITIZENSHIP | EXPERIENCE | POSTCODE |
| CITY | FAMILY NAME | PRESENT ADDRESS |
| COUNTRY | FIRST NAME | SALARY |
| DATE OF BIRTH | LAST NAME | SKILLS |
| EDUCATION | MIDDLE NAME | STREET |
| EMPLOYEE | OCCUPATION | TELEPHONE NUMBER |

## No. 105 Gifts

```
W Y R O A F N S F B T R E R N
O C R G P T L N D Y H A X H L
K Y A E U C U O P U E K A M H
B E N C N H F V W F A N O L X
T O R A D O T E T E R S O V T
E P O L E C I L O S R A Z M I
D E H K R O C T T E I S C O V
D M K C W L K I A H N G V S A
Y R R E E A E E A T G R W D R
B L S N A T T S H O S A B P Q
E G U E R E S C O L T V S F T
A E S A V S N A H C E P Q B A
R E H C U O V R L B E A A U T
L M Q P M A L A I I W T E L U
R J Z S X F U G I B S U R I B
```

| | | |
|---|---|---|
| BOOK | MAKE UP | SWEETS |
| CHOCOLATES | MONEY | TEDDY BEAR |
| CLOTHES | NECKLACE | TICKETS |
| EARRINGS | NOVELTIES | UNDERWEAR |
| FLOWERS | PEN | VASE |
| GLOVES | SCARF | VOUCHER |
| LAMP | STATIONERY | WATCH |

# No. 106 Security Measures

```
S  K  C  O  L  G  N  I  R  P  S  E  G  B  X
K  C  O  L  T  N  I  R  P  R  E  G  N  I  F
C  O  U  R  M  I  D  U  D  Y  U  S  I  S  D
I  L  S  C  A  M  E  R  A  S  M  B  Z  E  R
S  N  A  C  S  A  N  I  T  E  R  I  A  T  O
U  O  U  S  R  E  T  T  U  H  S  D  L  R  W
U  I  S  I  P  V  I  P  X  T  B  W  G  Q  S
T  T  L  T  C  P  T  S  R  O  S  N  E  S  S
S  A  L  H  S  A  Y  C  L  F  A  L  L  Y  A
R  N  A  G  S  D  C  T  C  U  S  T  B  F  P
P  I  M  R  A  L  A  R  A  L  G  R  U  B  U
N  B  O  U  M  O  R  T  I  S  E  L  O  C  K
Y  M  W  P  W  C  D  R  L  P  S  L  D  O  S
P  O  O  Y  E  K  C  U  H  S  U  O  T  L  D
H  C  T  A  C  R  O  O  D  Y  G  I  P  X  V
```

| | | |
|---|---|---|
| BARS | DEADBOLT | MORTISE LOCK |
| BURGLAR ALARM | DOOR CATCH | PADLOCK |
| CAMERAS | DOORS | PASSWORD |
| CCTV | DOUBLE-GLAZING | RETINA SCAN |
| CHAIN | FINGERPRINT LOCK | SENSORS |
| CLASP | IDENTITY CARD | SHUTTERS |
| COMBINATION LOCK | KEY | SPRING LOCK |

## No. 107 Animal Noises

```
A E R R Q R F R P U H S T K P
I U L U A A V U Q U N L O I S
S J Q S O U W L W E S W D T T
W H I N N Y P A N S N J L P L
T N Y E L P C L R A N S W P B
V A R I R L W W Q R Q O O M S
S T F G B R Y O A U U Y R I V
S S I H T I O H E T A P G T E
Z D J A X I B A A M P C A U S
B P T H N A K W R R L T K L U
P Q O K L S P C B U Z Z R X R
Z P A C Q I Y Z C U K U A O H
T I S R R H D K R M F P B C R
T T U U W M E T U I D O E E S
D E Y E U U T L E I I I Z O O
```

| | | |
|---|---|---|
| BAA | HOWL | ROAR |
| BARK | MEOW | SNAP |
| BUZZ | MOO | SNARL |
| CAW | NEIGH | SNORT |
| CLUCK | OINK | SQUEAK |
| GROWL | PURR | WHINNY |
| HISS | QUACK | YELP |

## No. 108 For Running Water

```
K Z G L E P Z S O U O R T A D
A B S A U U B T L G T P S X L
G Q Y D W S A E H U R D C A T
T W U A O B A O V U I O Z R U
Q A K W W I L Z G W N C O N F
T T S O G L Y U I D O U E V E
T E L L U G L A U K G L L G E
S R L F T L H I W H D V L R D
S M R R Y N T Q P R A E U O Y
W A T E R C O U R S E R A U H
H I M V F L T H T B M T O G T
E N W O L M D G P D T X A H L
J Y M R U S A U D I T C H W L
O S S Z M S D H H H S O L A E
R S V S E W E R C B A T R J T
```

| | | |
|---|---|---|
| CHAMFER | GROUGH | SIPHON |
| CONDUIT | GULLET | SLUICE |
| CULVERT | GULLY | SPILLWAY |
| DITCH | GUT | TROUGH |
| FEED | HOLLOW | WATER MAIN |
| FLUME | OVERFLOW | WATERCOURSE |
| GROOVE | SEWER | WATERWAY |

## No. 109 Indian Takeaway

```
L A I X N G I R S A S S E T L
I L I J A H B T A A T I A R I
J A O S A Z O I M U O A O R H
H S O J N A G O R S U T Z X G
Z A L S N S S K O Y I L E G Z
T M A D R A S A K D A A L A G
S A D T X N N W P T U N R S P
G K N V W L E A R A Z M I E R
G K I T G P P U R I N M F P I
C I V C H A P A T I C E T C O
N T A N D O O R I E V E E M G
E C H U T N E Y P M R P I R S
I P M D W Q O E I L U A W U O
R H R Y T U A A H A A F A P B
B D Q H P S W S Z T Q B O Z H
```

| | | |
|---|---|---|
| BHAJI | MADRAS | ROGAN JOSH |
| BIRYANI | NAAN | ROTI |
| CHAPATI | PANEER | SAAG |
| CHUTNEY | PAPADUM | SAMOSA |
| DAAL | PURI | TANDOORI |
| GOBI | RAITA | TIKKA MASALA |
| KORMA | RICE | VINDALOO |

# No. 110 Egyptian Gods And Monsters

```
I  T  P  G  S  N  T  E  A  Y  I  N  I  H  F
P  W  T  E  T  U  N  S  S  U  R  O  H  B  O
R  A  A  B  P  M  P  T  E  Y  P  T  T  B  I
K  R  A  Z  T  A  E  S  L  K  E  I  Q  A  W
S  O  M  P  A  W  N  W  Q  T  H  M  E  S  P
R  A  D  M  I  O  R  U  G  H  K  M  N  T  J
P  A  S  P  Y  S  O  R  B  R  T  A  E  E  R
O  B  U  P  A  E  L  A  A  I  O  O  P  T  K
S  V  Y  I  U  T  E  Q  R  E  S  H  H  P  I
S  S  J  O  N  H  U  I  Q  Y  I  D  T  T  A
R  H  P  O  M  X  T  M  L  M  R  C  H  A  R
W  F  T  Z  U  F  P  W  S  Q  I  Y  Y  H  H
U  B  R  X  E  O  V  U  R  V  S  I  S  I  C
U  M  T  P  R  H  S  M  S  M  J  O  Q  T  L
Y  I  V  J  R  Z  P  N  B  O  F  E  H  Y  D
```

| | | |
|---|---|---|
| AMMIT | GEB | NUT |
| AMUN | HATHOR | OSIRIS |
| ANUBIS | HORUS | PTAH |
| APEP | ISIS | SEKHMET |
| APIS | KHEPRI | SERQET |
| ATUM | MAAT | SETH |
| BASTET | NEPHTHYS | THOTH |

## No. 111 Pens

```
R A N O Y N R O R O F F S H V
P D N Z S T Y L O G R A P H R
F R E O R J C R O W Q U I L L
F R P G A A S A A N A G F M E
U O X E I P R A H S H F C E A
S L U S E L F F I L L E R T S
N L L N E P T N I O P L L A B
P E F P T R E G S O L T W M P
O R P N I A H R I U K T U R L
T B O R S T I H M D J I A E C
P A R K E R E N X A I P G P C
Q L I R L K R R P X N P N A Z
E L B A S A R E B E V E O P U
E L S I I B A A E I N N N T T
R G A U C P U T M D F I S T E
```

| | | |
|---|---|---|
| BALLPOINT PEN | FIBRE-TIP | PARKER |
| BIC | FLUX PEN | PERMANENT |
| BIRO | FOUNTAIN PEN | REED |
| CROW-QUILL | GEL | ROLLERBALL |
| DIP | HIGHLIGHTER | SELF-FILLER |
| ERASABLE | MARKER PEN | SHARPIE |
| FELT-TIP PEN | PAPER MATE | STYLOGRAPH |

## No. 112 UK Game Shows

```
T W E F S R O T A I D A L G E
L E R O V I V R U S C O E T S
U A K R Y P T O N F A C T O R A
A K E A E W B P C M T O R N E
V E R D N I I S R N C U E L T
E S I N O N G F Y E H N A Y S
H T A I O N B O S G P T S C U
T L N M T I R N T G H D U O B
H I O R N N O O A H R O R N K
E N I E E G T I L E A W E N C
C K L T E L H T M A S N H E O
U S L S T I E S A D E L U C L
B T I A F N R E Z S L D N T B
E L M M I E B U E O V T T I U
M Z E O F S H Q E L O M E H T
```

| | | |
|---|---|---|
| BIG BROTHER | FIFTEEN-TO-ONE | SURVIVOR |
| BLOCKBUSTERS | GLADIATORS | THE CUBE |
| CATCHPHRASE | KRYPTON FACTOR | THE MOLE |
| COUNTDOWN | MASTERMIND | THE VAULT |
| CRYSTAL MAZE | MILLIONAIRE | TREASURE HUNT |
| DEAL OR NO DEAL | ONLY CONNECT | WEAKEST LINK |
| EGGHEADS | QUESTION OF SPORT | WINNING LINES |

# No. 113 Busiest British Railway Stations

```
L L A R T N E C W O G S A L G
A S S H E F F I E L D I I I L
R D C B R I G H T O N U R V O
T E E R T S N O N N A C O E N
N E A S T C R O Y D O N T R D
E L S R R I C H M O N D C P O
C L A P H A M J U N C T I O N
F P E A G N I D A E R W V O W
F A T K L L A H X U A V N L A
I D R O F T A R T S N T O S T
D Y S A R C N A P T S T D T E
R Z N G U I L D F O R D N R R
A W I M B L E D O N T K O E L
C E G D I R B N O D N O L E O
G A T W I C K A I R P O R T O
```

| | | |
|---|---|---|
| BRIGHTON | GUILDFORD | READING |
| CANNON STREET | LEEDS | RICHMOND |
| CARDIFF CENTRAL | LIVERPOOL STREET | SHEFFIELD |
| CLAPHAM JUNCTION | LONDON BRIDGE | ST PANCRAS |
| EAST CROYDON | LONDON EUSTON | STRATFORD |
| GATWICK AIRPORT | LONDON VICTORIA | VAUXHALL |
| GLASGOW CENTRAL | LONDON WATERLOO | WIMBLEDON |

# No. 114 Chemistry Terms

```
G D N U O P M O C T L A Y T V
D T N O I T I S O P M O C E D
I D R R I S O L V E N T N B Z
L S N A E R E D O R T C E L E
A I O O D B E R D I P I L I L
K S I T B I M T M O Z E A T U
L Y T A O T O U T D R E V M C
A L U L I P N A N I A R Z U E
A O L P S O E E C C W J T S L
T R O J O L T L L T I Z O T O
U T S O M L Q A X A I M O E M
E C E U E O Y U E B V V O S F
F E S H R T F M A L V O I T E
Q L A C I D A R E E R F C T A
N E B S G A T R R R H V X S Y
```

| | | |
|---|---|---|
| ALKALI | ELECTROLYSIS | PERIODIC TABLE |
| ATOMIC NUMBER | FREE RADICAL | POLYMER |
| BASE | ISOMER | RADIOACTIVITY |
| COMPOUND | ISOTOPE | SOLUTION |
| COVALENT BOND | LIPID | SOLVENT |
| DECOMPOSITION | LITMUS TEST | VALENCY |
| ELECTRODE | MOLECULE | ZWITTERION |

## No. 115 Japanese Number Puzzles

```
N T I N S H I N O H E Y A P C
O R E K A K O W I H S A H O A
T K I N K O N K A N K J A F I
C M S I T M A S Y U C I K A T
E O T T C A K A R I O S A L O
F Y U P A Y I O V R R A H Y R
F I P N E I M S I R R N S E O
E E L A T A N H H V A K A K K
E D K L S R I E H O L A K A I
L O A U O H Y T D I W Z A W H
P H T F S M I R T G J U H A C
P F T I O I I S O B L S S Y O
I G O K I G E N N A N A M E M
R G E P H C M K O P D N S H P
L N U M B E R L I N K D R S P
```

| | | |
|---|---|---|
| AKARI | HEYAWAKE | MOCHIKORO |
| CORRAL | INSHI NO HEYA | NUMBER LINK |
| COUNTRY ROAD | KEISUKE | RIPPLE EFFECT |
| FILLOMINO | KIN-KON-KAN | SHAKASHAKA |
| GOISHI HIROI | KUROMASU | STAINED GLASS |
| GOKIGEN NANAME | LITS | TENTAI SHOW |
| HASHIWOKAKERO | MASYU | YAJISAN-KAZUSAN |

## No. 116 Fighting Talk

```
I  H  D  I  L  E  R  R  A  U  Q  F  T  A  Q
S  D  I  G  L  W  T  U  B  A  D  N  A  S  M
M  Q  S  I  A  S  A  E  L  E  S  D  U  H  R
J  W  O  R  R  S  T  R  N  L  U  L  W  L  Y
S  K  R  T  O  L  A  D  B  B  R  R  L  U  T
S  X  D  S  F  F  U  C  I  T  S  I  F  N  S
T  N  E  M  E  E  R  G  A  S  I  D  T  H  T
Y  A  R  F  E  L  F  S  K  R  P  R  K  M  V
Q  J  U  H  R  W  B  I  U  A  F  U  A  E  F
A  Q  F  C  F  I  R  B  G  P  P  C  T  L  U
U  L  F  L  L  M  T  A  A  H  M  K  O  E  E
Z  M  L  A  I  B  E  B  N  U  T  U  I  E  H
E  B  E  S  O  R  X  Q  O  G  Q  S  R  S  O
Q  D  H  H  R  W  Q  N  W  K  L  S  O  Y  G
C  K  G  Z  B  S  C  U  F  F  L  E  U  X  L
```

| | | |
|---|---|---|
| BRAWL | FISTICUFFS | RUCKUS |
| BROIL | FRACAS | RUFFLE |
| CLASH | FRAY | RUMPUS |
| DISAGREEMENT | FREE-FOR-ALL | SCUFFLE |
| DISORDER | MELEE | SKIRMISH |
| DISPUTE | QUARREL | SQUABBLE |
| FIGHT | ROW | WRANGLE |

## No. 117 Relatives

```
R T U I G E Z G G N I L B I S
E M W K Y C W R O O Q T H F A
C L T A S E A I D D R R E L S
X Z C A L I L X F A C E R I H
Z A U N T N N P A E D H S O N
T V C O U S I N T A P T I H A
T O I U A T R R H T E A A L R
X T W E H P E N E R U F C K D
G O D M O T H E R H W D P R N
I F L Y A X T A Q X T N A W A
F V R E H T O R B F L A H B B
E G R A N D M O T H E R F E S
N R E T H G U A D D O G P Z U
T U G B D H M W F P S O R R H
T S O T R X A G U M I T T L Z
```

| | | |
|---|---|---|
| AUNT | GODMOTHER | NEPHEW |
| COUSIN | GRANDFATHER | NIECE |
| DAD | GRANDMOTHER | SIBLING |
| FATHER-IN-LAW | HALF-BROTHER | SISTER |
| GODCHILD | HUSBAND | SON |
| GODDAUGHTER | MOTHER-IN-LAW | UNCLE |
| GODFATHER | MUM | WIFE |

## No. 118 Contains A, E, I, O And U

```
G A S A R E N I C O L O U S L
R Y U U S A S S A S S H P A A
S L O T U R U U V U U S A C T
U S I O O S O O E O O U R R E
L U T E L E I I R I L O E I R
T O N C I N M S N N I R C L I
R I E I E I E E I E H E I E T
A T T O H O N A C V P F O G I
S E S U C U A C O A O I U I O
E C B S A S P T L A M T S O U
R A A R T E R I O V E N O U S
I F A C E T I O U S N E S S F
O S U O I M E T S B A G H R A
U Q P A M E N T I F E R O U S
S U O I T I T N E V D A B J X
```

| | | |
|---|---|---|
| ABSTEMIOUS | ARENICOLOUS | CAVERNICOLOUS |
| ABSTENTIOUS | ARGENTIFEROUS | FACETIOUSLY |
| ACHEILOUS | ARSENIOUS | FACETIOUSNESS |
| ADVENTITIOUS | ARTERIOVENOUS | LATERITIOUS |
| AMENTIFEROUS | AUTOECIOUS | PARECIOUS |
| ANEMIOUS | AVENIOUS | SACRILEGIOUS |
| ANEMOPHILOUS | CAESIOUS | ULTRASERIOUS |

## No. 119 Danish Cities

```
G N P T C B S E O Y M W L E Y
I R T A A O I K J H S N I S P
T A O S I L K E B O R G J B O
N E P B C G R H B L A N G I D
S R S U I K R R O S K I L D E
S C O L R V A E I T H D O J N
Y C O M E E E L J E V L S J S
L X S P D G L G R B M O T O E
S K I V E H A L R R S K R R H
U D F P R N E L A O X E U C O
E C S Y F V H O S B B Y P E R
P A S U H R A A Y I R L T U S
S V E N D B O R G O A M A S E
L J Z R I N G S T E D I S A N
F C U O M L Z T R A N D E R S
```

| | | |
|---|---|---|
| AALBORG | HERLEV | ROSKILDE |
| AARHUS | HOLSTEBRO | SILKEBORG |
| BALLERUP | HORSENS | SKIVE |
| COPENHAGEN | KOLDING | SLAGELSE |
| ESBJERG | ODENSE | SVENDBORG |
| FREDERICIA | RANDERS | VEJLE |
| GLOSTRUP | RINGSTED | VIBORG |

## No. 120 Shakespeare Plays

```
T T W F H T O I S C T R L T A
I V I H T H T I E O I O P P S
E I N E E H I L M M M N B J
K T T N B T E D C E O E E C U
I W E R C E L R I D N O N O L
L E R Y A M L A R Y O A I R I
U L S V M P O H E O F N L I U
O F T I J E V C P F A D E O S
Y T A I U S P I J E T J B L C
S H L I E T A R Y R H U M A A
A N E H A M L E T R E L Y N E
T I T U S A N D R O N I C U S
S G K I N G L E A R S E D S A
N H O J G N I K T S G T H D R
I T R A P I V Y R N E H R E O
```

| | | |
|---|---|---|
| AS YOU LIKE IT | HENRY VIII | RICHARD III |
| COMEDY OF ERRORS | JULIUS CAESAR | ROMEO AND JULIET |
| CORIOLANUS | KING JOHN | THE TEMPEST |
| CYMBELINE | KING LEAR | TIMON OF ATHENS |
| HAMLET | MACBETH | TITUS ANDRONICUS |
| HENRY IV PART II | OTHELLO | TWELFTH NIGHT |
| HENRY VI PART I | PERICLES | WINTER'S TALE |

## No. 121 Double K Words

```
O I W A R Z F L R W W R A K C
Z Y U K K Y E P D T N C R E T
H D A T A K K U P I A E S E T
A T S K K D D J T K T R N I V
K T R E K K E D O K A Q N E O
K P R E M A R K K A P N Q T C
U J I J P P A N K V R Q R T U
S H I K K E R I I A U R S R Z
E B A K K I E C N O Y K T P Q
R G P O N D O K K I E A K P S
U X S E F I N K K C A J P O V
W Y D T O I A N C O K T M U H
D E K K O B M A J S O T B E F
W U A K K U H C K U X B N O S
I S U L O C K K E E P E R T S
```

BAKKIE

BOOKKEEPER

CHUKKA

HOKKU

JACKKNIFE

KNICK-KNACK

LEKKER

LOCK-KEEPER

MARKKA

PONDOKKIE

PUKKA

QUOKKA

SHIKKER

SJAMBOKKED

SUKKAH

TIKKA

TOKKIN

TREKKED

YAKKA

YAKKED

YUKKY

## No. 122 Has A Clock Or Timer

```
R D S T O P W A T C H E C T T
E L E C T R I C H E A T E R D
Y C G A M E S C O N S O L E I
A O G L T W C H F T H N P D S
L M T L C R D C R R S O E R H
P P I A M E P T T A N I V O W
D U M H R D L A D L D S A C A
V T E N L E A W I H L I W E S
D E R W H E Y T A E T V O R H
U R C O F F E E M A K E R O E
P S U T R T R K S T L L C E R
O T X O F A N C A I L E I D U
P V P Q P C C O E N W T M I U
I B E L E P U P T G H A A V P
E M O N O R T E M R Q T A U U
```

| | | |
|---|---|---|
| CAR | DVD PLAYER | POCKET WATCH |
| CAT FEEDER | EGG TIMER | RADIO |
| CD PLAYER | ELECTRIC HEATER | STOPWATCH |
| CENTRAL HEATING | GAMES CONSOLE | TEASMAID |
| COFFEE-MAKER | METRONOME | TELEVISION |
| COMPUTER | MICROWAVE | TOWN HALL |
| DISHWASHER | OVEN | VIDEO RECORDER |

## No. 123 Dinosaurs

```
K G I G A N T O S A U R U S N
A A L L Y T C A D O R E T P O
K L S U M I M O H T I N R O D
U L S U R U A S O N G E S T O
R I S U R U A S I H C N A A N
U M X Y R E T P O E A H C R A
R I S U R U A S O G E T S E U
O M S U R U A S O T A R E C G
T U S P I N O S A U R U S O I
P S S U R U A S O I H C A R B
A A T R I C E R A T O P S C C
R L H E S P E R O R N I S I V
Z A X I X A I G N I M O N M Q
O V E L O C I R A P T O R W E
Y D I P L O D O C U S Z W B T
```

| | | |
|---|---|---|
| ANCHISAURUS | GIGANTOSAURUS | OZRAPTOR |
| ARCHAEOPTERYX | HESPERORNIS | PTERODACTYL |
| BRACHIOSAURUS | IGUANODON | SEGNOSAURUS |
| BRONTOSAURUS | KAKURU | SPINOSAURUS |
| CERATOSAURUS | MICROCERATOPS | STEGOSAURUS |
| DIPLODOCUS | NOMINGIA | TRICERATOPS |
| GALLIMIMUS | ORNITHOMIMUS | VELOCIRAPTOR |

## No. 124 Parts Of A Lock

```
T K U S L S E T A L P E C A F
T X E R P S G N I R P S Y E V
R P A Y E U B I K V T A L S Z
R T M Z C V S A I N J S I C I
B K L O M A E H R E O H N U E
B Y E O R D R L B R S B D T A
U A R Y B T K D H U E O E C M
T W Y Z H H I A R C T L R H I
V Y I L T O C S N E T T H E R
D E A D B O L T E T A A O O T
O K S T A P L E A B T D L N T
R L A T C H F O L L O W E R T
H A S P I N D L E H O L E R C
M P R S T R I K E P L A T E O
Y P M T J T I T M T N C E S S
```

| | | |
|---|---|---|
| BARREL | KEYHOLE | PUSH BUTTON |
| CYLINDER HOLE | KEYWAY | ROSE |
| DEAD-BOLT | KNOB | SASH BOLT |
| ESCUTCHEON | LATCH BOLT | SPINDLE HOLE |
| FACEPLATE | LATCH FOLLOWER | SPRING |
| HASP | LATCH LEVER | STAPLE |
| KEYCARD READER | MORTISE BOLT | STRIKE PLATE |

## No. 125 Famous Queens

```
R E P O L E N E P T R M A S Z
X T I T A N I A N N E U A H B
Y T U S P E H S T A H P S E P
K E H L S S E L E A N O R B B
V N R B C A R O L I N E C A G
R I R G I B B L K M V S L L D
H O C N E N O H P E S R E P N
P T S T H N N U N R H O O A E
P N E E O S A I D Z Y S P X F
S A L B I R U J T I K P A H E
Q E O R A G I F Y I C V T R R
N I B T I Z P A K D M C R Q T
Q R A L I L I U O K A L A N I
O A I S A B E L S T R L S B T
O M Q A I B O N E Z Y A S R I
```

ANNE                HATSHEPSUT          NEFERTITI

BOUDICCA            HELEN               PENELOPE

CAROLINE           ISABEL              PERSEPHONE

CLEOPATRA          LADY JANE GREY      SHEBA

ELEANOR            LILIUOKALANI        TITANIA

ELIZABETH          MARIE ANTOINETTE    VICTORIA

GUINEVERE          MARY                ZENOBIA

# No. 126 Visit To The Post Office

```
A  V  G  X  O  B  L  I  A  M  R  I  A  S  L
I  I  C  O  M  M  E  M  O  R  A  T  I  V  E
N  Z  R  B  L  C  H  G  R  O  T  E  T  C  T
S  E  P  E  R  S  O  N  A  L  M  A  I  L  T
U  U  N  C  T  E  E  L  M  K  U  S  P  D  E
R  Z  R  I  E  U  D  D  L  M  C  T  T  R  R
A  X  I  F  H  U  R  R  O  E  R  A  A  A  L
N  O  W  F  A  C  A  N  O  C  C  A  P  C  I
C  B  E  O  B  C  A  A  A  Y  T  T  T  T  A
E  T  I  T  E  X  E  M  C  D  E  S  I  S  M
L  S  G  S  R  S  O  M  P  M  D  N  O  O  K
H  O  H  O  C  D  Y  A  A  M  P  R  O  P  N
X  P  I  P  A  R  C  E  L  I  A  A  E  M  U
E  L  N  A  M  T  S  O  P  P  L  T  Y  S  J
R  E  G  A  T  S  O  P  G  D  A  J  S  K  S
```

| | | |
|---|---|---|
| AIRMAIL | MONEY ORDER | POSTCARD |
| COLLECTION | PACKAGE | POSTCODE |
| COMMEMORATIVE | PARCEL | POSTMAN |
| INSURANCE | PERSONAL MAIL | RETURN ADDRESS |
| JUNK MAIL | POST-OFFICE BOX | STAMP MACHINE |
| LETTER | POSTAGE | SURFACE MAIL |
| MAILBOX | POSTBOX | WEIGHING |

## No. 127 Crimes

```
E F A U R T S L W A A S W Y V
M V G N I T F I L P O H S F E
B A G N I K C A J I H A R A M
E G N O I T A N I S S A S S A
Z M N S T V A N D A L I S M T
Z G S I L R I S A B O T A G E
L G N I K A E R B E S U O H R
E N N I N L U S D R A A H E R
M I N I P A A G P K E M T F O
E H Y R G P G T H A N D U R R
N C C G T G A I S T S I R A I
T A A U T I U N L C E S R U S
F O R G E R Y M D O T R I D M
S P I E X T O R T I O N W N K
S B P K Z A B S V K K H P R G
```

ASSASSINATION

DRINK-DRIVING

EMBEZZLEMENT

EXTORTION

FORGERY

FRAUD

HIJACKING

HOOLIGANISM

HOUSEBREAKING

KIDNAPPING

MANSLAUGHTER

MUGGING

MURDER

PIRACY

POACHING

SABOTAGE

SHOPLIFTING

STALKING

TERRORISM

TRESPASSING

VANDALISM

## No. 128 Film Production

```
R E T I R W N E E R C S O G I
O G Z C O N T I N U I T Y E R
C S N P T Q A P I A N S M P K
I A O I P R O S T H E T I C S
V E M U T S O C M T M C I R E
R I R E N H D L D X A O R E V
R R S O R D G E S P T L R H I
R N O I T A S I R U O L O C T
O T O X O I M O L Y G D T R U
L U V Z G N D A M O R A C A C
P T Q N F U M E N B A P E E E
Q Y E I C T T I J T P P R S X
Y R R E N N U R X S H T I E E
Y C R E F F A G S E E U D R O
M A K E U P V R U B R E H A G
```

BEST BOY

CAMERAMAN

CINEMATOGRAPHER

COLOURISATION

CONTINUITY

COSTUME

DIRECTOR

EDITOR

EXECUTIVES

GAFFER

GRIP

LIGHTING

MAKE-UP

PRODUCER

PROSTHETICS

RESEARCHER

RUNNER

SCREENWRITER

SET DESIGNER

SOUND

VISION MIXER

## No. 129 Day In The Life

```
T T V U R O W C S R N J F E A
B I Y A S P A O S E I Z Z E T
E K F A U L L M S U G R P T A
G Q L C W A K E U P S D E G U
E A W A Q Y R H H E A R A A R
U C T Y T U O O G N Z T R S O
S R D R N A N M C D R E A M K
A A K T A E S E V I E C E R E
N R A I T H H L L O R T S N G
Z U W R O B B L E K R O W J S
H I Q P F A I Z P E Q S O D A
G A S E A Q W C A S P G R L P
J Y I I U I T S M B T I B I B
E E R I H V Y T O R N V U E L
X O D S E Q H U K K U E S S G
```

| BROWSE | GO OUT | SLEEP |
| COME HOME | JOG | SNEEZE |
| DANCE | PHONE | STROLL |
| DREAM | PLAY | TALK |
| DRINK | RECEIVE | WAKE UP |
| EAT | RUN | WALK |
| GIVE | SHOP | WORK |

## No. 130 Got Your Mind Set

```
U S T E A D F A S T N E T N I
L I U A S L U F E S O P R U P
I A I N S N A R G S T E U B E
R D C R D D F I X E D R N T F
N C E A A E J F N L B S W H I
R T F D I D V A I E V E A O C
X N E K N N C I R R E V V B O
S E C U K I A R A I M E E S M
A T O S O M M M D T E R R E M
L S Y U P G U E O D I I I S I
B I S A Y N T T L N O N N S T
A S D E T O V E D G O G G I T
U N S W E R V I N G N M G V E
G I T O L T D E T A C I D E D
P E R S I S T E N T B J S C D
```

| | | |
|---|---|---|
| COMMITTED | INTENT | STEADFAST |
| DEDICATED | MONOMANIACAL | STRONG-MINDED |
| DEVOTED | OBSESSIVE | TENACIOUS |
| DOGGED | PERSEVERING | TIRELESS |
| FIRM | PERSISTENT | UNDEVIATING |
| FIXED | PURPOSEFUL | UNSWERVING |
| INSISTENT | SINGLE-MINDED | UNWAVERING |

## No. 131 Calendars

```
A C D W N F B U D D H I S T G
J T I K A G L A R X E Q I R P
S A S N K C U O Z W L R R B J
Q L N R A R L F R T L J A A A
U G A R M M G A R E E R L B V
A D I S C O R D I A N C O Y A
T O R P K D E E O H I T S L N
Q R Y R L X G H G I C T I O E
N T S Z O R O A S T R I A N S
F L S H I R R M A I L F H I E
E E A I A L I A M R D M T A E
T A U N U N A I L U J E G N L
O R T D G T N P Y C H L W N E
C I N U R T X H E B R E W S V
H C O P T I C S X N Z S S R O
```

| AKAN | FLORENTINE | JULIAN |
|------|------------|--------|
| ASSYRIAN | GERMANIC | MINGUO |
| AZTEC | GREGORIAN | NEPALI |
| BABYLONIAN | HEBREW | RUNIC |
| BUDDHIST | HELLENIC | SWEDISH |
| COPTIC | HINDU | THAI SOLAR |
| DISCORDIAN | JAVANESE | ZOROASTRIAN |

## No. 132 Knots

```
D N A H R E V O M M U D S L C
F C A C L O V E H I T C H N R
R I R T I M B E R H I T C H O
O G S I G N D O U B L E A B S
P O S H E E P S H A N K R U D
A E S L E S T R L G P K R T N
C T C L O R A R L H O G I Q I
R H L A W H M I C I E S C E W
O U I W I A S A L O F C K T F
C M N K O H P A N O X E B P D
H B C C M M E S H S R P E B T
E W H A L F H I T C H S N R H
T I N L E X Y N N A R G D Z E
B S L B O W L I N E C U H Q M
T I U M U I S K Q V Q M L E P
```

| | | |
|---|---|---|
| BLACKWALL HITCH | DOUBLE | REEF |
| BOWLINE | ENGLISHMAN'S | SAILOR'S |
| CARRICK BEND | FISHERMAN'S | SHEEPSHANK |
| CAT'S-PAW | GRANNY | SURGEON'S |
| CLINCH | HALF HITCH | THUMB |
| CLOVE HITCH | MESH | TIMBER HITCH |
| CROCHET | OVERHAND | WINDSOR |

# No. 133 Parts Of A Church

```
M  U  I  R  T  A  M  R  A  U  T  G  A  O  J
S  U  L  P  N  P  I  Y  B  T  X  B  L  Q  T
H  I  T  A  S  N  S  X  S  A  D  F  T  J  G
R  J  V  Y  B  C  E  G  R  C  A  P  A  I  X
Q  E  L  R  D  H  R  Q  S  S  R  I  R  L  U
L  W  P  A  A  A  I  O  P  M  S  Y  T  L  S
U  A  I  U  B  P  C  Y  R  L  A  T  P  A  V
S  L  S  T  E  T  O  S  E  P  L  X  C  T  S
R  O  N  C  L  E  R  E  S  T  O  R  Y  S  S
A  D  U  N  F  R  D  E  B  M  I  O  S  J  M
E  S  J  A  R  H  E  S  Y  S  R  Y  I  I  G
P  P  U  S  Y  O  R  E  T  S  I  O  L  C  E
S  I  O  H  G  U  I  Y  E  J  A  S  L  L  E
T  R  T  P  E  S  N  A  R  T  H  E  X  P  P
F  E  L  P  E  E  T  S  Y  U  Y  I  F  P  E
```

| | | |
|---|---|---|
| ADYTUM | CLERESTORY | PRESBYTERY |
| AISLE | CLOISTER | SACRISTY |
| ALTAR | CRYPT | SANCTUARY |
| APSE | MISERICORD | SPIRE |
| ATRIUM | NARTHEX | STALL |
| BELFRY | NAVE | STEEPLE |
| CHAPTERHOUSE | PARVIS | TRANSEPT |

## No. 134 It's Raining

```
N G S P O R D N I A R U T R F
C T P E O E A A M A T E N S B
L Y S G Z G X I X S E R E E S
O H T U I X N O N M O E R P Z
U V O L L E Y I T S C K R S T
D P R E C I P I T A T I O N G
B I M D P O T E T E N O T Y V
U N Y U I E L S L K K A R O O
R R A I N F A L L T P C U M E
S A Q O O N P E O L L A U Q S
T H U N D E R S T O R M I B S
I S Q D R I Z Z L E L Z Z I M
P D O W N P O U R I N G G A T
S G M H E C I H T E S C L J C
S A G S I B R A R Q P A D T I
```

| | | |
|---|---|---|
| BUCKETING | PELT | SPRINKLE |
| CATS AND DOGS | POURING | SQUALL |
| CLOUDBURST | PRECIPITATION | STORMY |
| DELUGE | RAINDROPS | TEEM |
| DOWNPOUR | RAINFALL | THUNDERSTORM |
| DRIZZLE | RAINSTORM | TORRENT |
| MIZZLE | SPIT | VOLLEY |

## No. 135 At The Stationers

```
L V Y E L I F Y R A T O R R O
P O L L I C N E P A T I N T
H I R E D L O F G N I G N A H
A P R T T A R S U T S E G L F
T M S T S T R H D F P H B A O
X A T E T S E A R C I O I B U
O T I R A D C R A L L L N E N
B S C S P N T P O I C E D L T
G R K C L E I E B P R P E M A
N E Y A E K O N D B E U R A I
I B T L S O N E R O P N U K N
L B A E S O T R A A A C E E P
I U P S C B A F C R P H A R E
F R E S N E P S I D E P A T N
K O O B T N E M T N I O P P A
```

APPOINTMENT BOOK

BOOKENDS

CARDBOARD

CLIPBOARD

CORRECTION TAPE

FILING BOX

FOUNTAIN PEN

HANGING FOLDER

HOLE PUNCH

LABEL MAKER

LETTER OPENER

LETTER SCALES

PAPER CLIPS

PENCIL

RING BINDER

ROTARY FILE

RUBBER STAMP

SHARPENER

STAPLES

STICKY TAPE

TAPE DISPENSER

## No. 136 Not Very Excitable

```
I  E  T  K  S  A  N  U  Q  I  I  Y  N  A  P
D  G  R  C  A  L  M  O  Q  Q  P  L  M  U  R
T  E  E  U  O  D  I  G  N  I  F  I  E  D  O
P  O  C  O  M  P  O  S  E  D  A  M  L  W  J
G  C  C  O  D  E  E  P  K  U  L  P  O  X  G
Z  O  D  G  R  E  D  I  N  I  I  E  S  S  T
S  L  E  O  N  O  L  R  N  E  U  R  T  D  Q
S  L  T  N  I  I  U  I  P  G  Q  T  A  A  S
T  E  I  K  E  F  V  S  B  T  N  U  I  P  S
W  C  C  H  F  R  E  O  S  E  A  R  D  P  B
Z  T  X  L  B  R  E  T  M  S  R  B  C  R  S
L  E  E  L  I  N  I  S  C  W  T  A  S  O  Z
U  D  N  O  E  F  E  D  H  P  O  B  T  P  L
S  E  U  N  F  L  A  P  P  A  B  L  E  E  O
N  S  U  A  C  T  S  E  N  R  A  E  S  R  T
```

| | | |
|---|---|---|
| CALM | DIGNIFIED | SOLEMN |
| COLLECTED | EARNEST | STAID |
| COMPOSED | IMPERTURBABLE | STIFF |
| COOL | PROPER | TRANQUIL |
| DECOROUS | SERENE | UNEXCITED |
| DELIBERATE | SERIOUS | UNFLAPPABLE |
| DEMURE | SLOW-MOVING | UNRUFFLED |

## No. 137 Clocks

```
Y C A R U C C A L A T I G I D
F R T W R I S T W A T C H L R
O S A I T R A V E L C L O C K
B W P N M F M T R U A S P Y R
W R V E A E Q I C T R A E Q H
A I A A L P K C W R T N U P
T N L C E K O I G S I O D A A
C G E F K O I G E X A M A R R
H W A X C E M N U C G I N T G
E A R L U Z T M G E E C T Z O
S T O P W A T C H C C C W C N
K C O L C M R A L A L L A L O
K H S U N D I A L O O O T O R
R E T E M O N O R H C C C C H
M A N T E L C L O C K K H K C
```

ACCURACY

ALARM CLOCK

ANALOGUE

ATOMIC CLOCK

BRACKET CLOCK

CARRIAGE CLOCK

CHRONOGRAPH

CHRONOMETER

CUCKOO-CLOCK

DIGITAL

FOB-WATCH

MANTEL CLOCK

PENDANT WATCH

QUARTZ CLOCK

RING-WATCH

SPEAKING CLOCK

STOPWATCH

SUNDIAL

TIMEPIECE

TRAVEL CLOCK

WRISTWATCH

## No. 138 Look At A Diagram

```
Y O F P I S R I T G B I A T U
A M Y A I W C U E X A N N W T
S C H E M E I H N L R D O E F
S B F L G I C E E C C I I G A
U J Z F T V L H E M H C T G R
O R N I F D T Y A P A A A C D
G E O E L E F I T R R T R U R
E A U C O D B I P R T O T T A
L A T R W O T W G T E R S A W
Z N L G C L R U B U E E U W I
R Q I T H P F L O O R P L A N
U E N B A X Y K E Y W E L Y G
R R E P R E S E N T A T I O N
U P I C T U R E A M A L R F L
Q G R A P H B U Z H G A H Z L
```

| | | |
|---|---|---|
| BAR CHART | FLOOR PLAN | OUTLINE |
| CUTAWAY | FLOW CHART | PICTURE |
| DRAFT | GRAPH | PIE CHART |
| DRAWING | ILLUSTRATION | REPRESENTATION |
| EXPLODED VIEW | INDICATOR | RUN CHART |
| FAMILY TREE | KEY | SCHEMA |
| FIGURE | LAYOUT | SCHEME |

## No. 139 Clouds

```
S  S  I  M  R  O  F  I  T  A  R  T  S  D  L
S  C  U  M  U  L  O  G  E  N  I  T  U  S  H
L  U  R  T  Z  E  C  P  Y  J  R  S  B  U  C
A  U  T  Y  A  L  Z  J  A  A  R  G  M  T  H
C  N  A  A  E  R  I  R  T  C  P  B  I  A  T
U  C  E  U  R  F  T  O  S  Y  U  I  N  R  U
N  I  F  F  K  T  C  S  R  S  Q  S  O  T  N
O  N  A  R  C  U  S  O  O  O  F  I  L  S  D
S  U  L  U  M  U  C  O  R  R  I  C  U  O  U
U  S  A  U  W  U  U  I  B  P  R  T  M  T  L
S  U  L  U  M  U  L  E  V  M  I  I  U  L  A
U  U  S  U  T  R  O  T  N  I  I  L  C  A  T
S  U  L  U  M  U  C  O  T  L  A  N  E  H  U
E  U  U  M  C  A  S  T  E  L  L  A  N  U  S
S  U  T  A  R  B  I  F  I  C  I  R  R  U  S
```

| | | |
|---|---|---|
| ALTOCUMULUS | CUMULOGENITUS | PILEUS |
| ALTOSTRATUS | CUMULONIMBUS | PYROCUMULUS |
| ARCUS | FIBRATUS | STRATIFORMIS |
| CASTELLANUS | INTORTUS | STRATOCUMULUS |
| CIRROCUMULUS | LACUNOSUS | UNCINUS |
| CIRROSTRATUS | NIMBOSTRATUS | UNDULATUS |
| CIRRUS | OPACUS | VELUM |

## No. 140 Printing Terms

```
U R Z L T C S X I O Q P I I F
J E C W T N G A L L E Y N Q P
O P W O H K E R N W J C D C R
W R T I M D A M T S U V E O P
K I N T D P L O N D S N N L O
T N I A Y O O E S G T E T C O
R T T B H P W S A R I J R D P
Y N N P S P E S E D F L A I L
T I I K Y R R S R I I A P F
R R R J P U C O E A C N I P A
U P P E R C A S E T A P G I H
R F R E G I S T R A T I O N D
A F E Q T P E C S Z I I U S R
F O V G A N F N I Z O N N M Y
S S O F T H Y P H E N I W G S
```

| | | |
|---|---|---|
| ALIGNMENT | LEADING | REPRINT |
| CENTRE | LOWER-CASE | SANS SERIF |
| COMPOSE | OFFPRINT | SOFT HYPHEN |
| GALLEY | ORPHAN | TINT |
| INDENT | OVERPRINT | TYPESETTING |
| JUSTIFICATION | PRESS | UPPER-CASE |
| KERN | REGISTRATION | WIDOW |

## No. 141 Types Of Government

```
P L U T O C R A C Y Y P S P M
P O M M Y A Y E O I C I W Q Q
H L S S C N C Y R L A H R G Q
I Y I I A A A H P Y R S E T R
E H L T R R R C O Y C R M M Y
R C A U C C C R R N O O E S H
O R N L O H O A A N N T R I C
C A U O T Y L N T A H A I L R
R T M S S U H O I R C T T A A
A P M B I N C M S Y E C O I G
C E O A R R O U M T T I C R I
Y H C R A E R I U Q S D R E L
I C Y C A R C O S I T N A P O
H W Y C A R C O M E D H C M T
T W B U R E A U C R A C Y I U
```

ABSOLUTISM

ANARCHY

ARISTOCRACY

BUREAUCRACY

COMMUNALISM

CORPORATISM

DEMOCRACY

DICTATORSHIP

GERONTOCRACY

HEPTARCHY

HIEROCRACY

IMPERIALISM

MERITOCRACY

MONARCHY

OCHLOCRACY

OLIGARCHY

PANTISOCRACY

PLUTOCRACY

SQUIREARCHY

TECHNOCRACY

TYRANNY

## No. 142 British Kings

```
N M R G A F E T L D Y J R P Y
I E P A A I P E C A N U T E P
B G C L S E T J O H N U S X N
S B U Z A W I L L I A M M P G
R E D W A R D E D G X R J D V
M R W W A E T H E L W U L F E
A T H E L S T A N O J A M E S
L T K D H O H H S B M Q D T S
A L F R E D A X E T R T T H R
N Y Z E N T R E B L E H T E A
T J E D R F O A G C B P U L G
I A W A Y H L R H R S A H R D
U T X O P A D Y O C O Q L E E
Z A D L T E D S W A I E A D N
O L W X S S G J K H A R G A S
```

| | | |
|---|---|---|
| AETHELBALD | EDGAR | HAROLD |
| AETHELBERT | EDMUND | HENRY |
| AETHELWULF | EDRED | JAMES |
| ALFRED | EDWARD | JOHN |
| ATHELSTAN | EGBERT | RICHARD |
| CANUTE | ETHELRED | STEPHEN |
| CHARLES | GEORGE | WILLIAM |

## No. 143 In The Garage

```
W E L L I N G T O N S N U R S
T N I A P E M O A C S H T B T
U I C C X C T C A Y E E I C B
K H B B P H A P O L L N L L L
R C I P Q L O R M P B Y A I D
N A C G N I R E T A W W O P F
T M Y L M N T H G X N T V P T
F G C O Y A H S P M O W O E I
R N L V L C O A O U S J D R D
A I E E I Y S W S T E E H S T
T H S S A R E H C R O T A A I
J S Y P B R U S H E S T D X Z
G A T N A E K I B R O T O M V
L W W A S J S D S S X J D T F
Q V D F W C M M Y L Q H F O S
```

| | | |
|---|---|---|
| BICYCLE | GLOVES | OIL |
| BIN-BAGS | HELMET | PAINT |
| BRUSHES | HOE | SHEETS |
| CAR | HOSE | TORCH |
| CLIPPERS | JERRYCAN | WASHING MACHINE |
| DISHWASHER | LAWNMOWER | WATERING CAN |
| FILES | MOTORBIKE | WELLINGTONS |

## No. 144 Leathers

```
R R S E D H R I P A A L D V P
B A A D D H P D A O P R S T A
P E S I C O U I T X O P P R S
U O L H H R A S E H L N A P D
Z A A W E S B T N I O I L N C
A T N A V E L R T D S K S A J
G O R R E H P E D E U S I M G
K V S B R I B S P M H K O F Q
R S M U E D N S K C I C M X A
W L A O L E A E B I H U A F A
N I K S R E E D E A N B H V H
E N H B W O R E D O P Q C Y D
S K N U B U C K Q S P H N L E
P N O F K F E C Y T Z W O A N
S W L F H L B R O A N K E J R
```

| | | |
|---|---|---|
| BUCKSKIN | LEVANT | RAWHIDE |
| BUFF | MOCHA | ROAN |
| CHAMOIS | MOROCCO | SHEEPSKIN |
| CHEVEREL | NAPPA | SLINK |
| DEERSKIN | NUBUCK | SPLIT |
| DISTRESSED | OXHIDE | SUEDE |
| HORSEHIDE | PATENT | VACHETTA |

## No. 145 Fasten Your Boat Up

```
A A G I S F F K U S W Q K T A
E F K V O R I T P O R T E F H
C G O O R A F Y A U Q V A F G
A R A N C H O R A G E R Y S W
L R E T A W K A E R B I T E A
P P D F S Y L X P R A T T R T
G I N Q U G N I R O O M E K E
N A E E K G N S J O E E J H R
I L T R V C E I H O T W Q A F
D R A Y T A O B D E T L X R R
N X N A A L H D T N L L S B O
A T I Y A C H T S T A T I O N
L L R R C G N I G D O L E U T
R Z A L D R J U U R M U B R D
O B M J T O I B C U T T E F B
```

| | | |
|---|---|---|
| ANCHORAGE | LANDING STAGE | QUAY |
| BOAT YARD | LANDING-PLACE | REFUGE |
| BREAKWATER | LODGING | SHELTER |
| DOCK | MARINA | TIE UP |
| HARBOUR | MOORING | WATERFRONT |
| HAVEN | PIER | WHARF |
| JETTY | PORT | YACHT STATION |

## No. 146 Musical Instruments

```
R W S H V I R G I N A L S T B
S K T S O A L B A T O W E O E
U F O K G S S P O C A T P S N
I U T O E A E T R N U E A M I
L B I O F T M W E B G U E B R
L A N Z R L T E U E A O U I U
E G W A V H W L L T L J Z R O
A E H K G H A K E A O P X A B
N A I T I R C C P D N G A I M
P S S S B C O N C E R T I N A
I S T E B O D H R A N U J S T
P L L A B M Y C T J Q S M T V
E L E L L S N I U D X L I A
S G R A N D P I A N O R P C A
E S Y G B A S S D R U M M K F
```

| | | |
|---|---|---|
| BASS DRUM | GRAND PIANO | SWANEE WHISTLE |
| BODHRAN | KAZOO | TABLA |
| BONGO | KETTLEDRUM | TAMBOURINE |
| CONCERTINA | MBIRA | TIN WHISTLE |
| CRWTH | MOUTH ORGAN | TUBULAR BELLS |
| CYMBAL | RAINSTICK | UILLEAN PIPES |
| GAMELAN | STEEL PAN | VIRGINALS |

## No. 147 Philosophers

```
J L D S G I V Y Q S P S O J A
P L E G E H Z O K A G K I T H
Y C W I T T G E N S T E I N O
N O C A B Q A A I W M T R Q G
S S J H D N X Q E C R O S V P
E K T S W A I E T R O I H U O
T L N S G R Y Z Z F T P G C O
R E T O O J A M S M A R X H P
A O R O H C N K C S L S A A T
C A U I T P R C H D P I P S A
S E Y S A S O A E E O I B N C
E T N C S T I N T Q N W R I P
D J A A N E L R E E A D E E I
R S E N E C A O A X S S I L U
Q G S D A G O U V M R R B K L
```

| | | |
|---|---|---|
| ANAXAGORAS | LEIBNIZ | SARTRE |
| ARISTOTLE | MARX | SENECA |
| BACON | MCDOWELL | SOCRATES |
| CHOMSKY | NIETZSCHE | VOLTAIRE |
| DESCARTES | PAPINEAU | VON WRIGHT |
| HEGEL | PLATO | WITTGENSTEIN |
| KLEIN | ROUSSEAU | XENOPHON |

## No. 148 Life After Death

```
S Y T Q P P D U T O P I A Y A
N I M Y D P M I Y A M A H S P
H A O T L N S A E L L E H V I
Z E K U A O A A B M S A U A R
S I A G E I Z L S A N J P L S
Z L D V L T A E R G H A R H R
W I L L E A K F R E A M R A D
G X O H H N O I T U M R A L L
R P L N T R L L X E T M D L R
K I Y S O A A J R S R P U A O
Y Z M T D C V O B M I L A S W
R S P Q N N E R R I P R I R T
L U U M A I D X A K D I L F X
X T S D L E I F N A I S Y L E
J L A N I R V A N A I T Z K N
```

| | | |
|---|---|---|
| AFTERLIFE | LIMBO | SHAMAYIM |
| ASGARD | NEXT WORLD | SHANGRI-LA |
| DEVA LOKA | NIRVANA | SUMMERLAND |
| ELYSIAN FIELDS | OLAM HABA | TIAN |
| HEAVEN | OLYMPUS | UTOPIA |
| HELL | RAPTURE | VALHALLA |
| LAND O' THE LEAL | REINCARNATION | ZION |

## No. 149 UK Indoor Arenas

```
E A R L S C O U R T E A A W S
A N E R A G L H A C M N N E E
N E R A N W Y C N A O E E M C
E R T N E W M A E N R R R B C
R A N E R B P R R E D A A L G
A N E R A O I D A R O R T E M
E O C A Y L A I T A L E N Y A
M D N D A T N F N Y E T I A N
O N O A G O E F I E V S O R E
D O T E N N R A O S N E P E R
Y L H H I A A R P S O H R N A
K Q G E R R O E T Y D C O A L
S U I A R E H N S D N N T E L
S F R R A N C A E O O A O C U
Q S B B H A E E W D L M M C H
```

| | | |
|---|---|---|
| AECC | HARRINGAY ARENA | MOTORPOINT ARENA |
| BOLTON ARENA | HULL ARENA | ODYSSEY ARENA |
| BRAEHEAD ARENA | LG ARENA | OLYMPIA |
| BRIGHTON CENTRE | LONDON ARENA | SECC |
| CARDIFF ARENA | LONDON VELODROME | SKYDOME ARENA |
| EARLS COURT | MANCHESTER ARENA | WEMBLEY ARENA |
| ECHO ARENA | METRO RADIO ARENA | WESTPOINT ARENA |

## No. 150 International Film Festivals

```
S J V W T Z P J E L N I G A U
B E E N F A K J M U E L R A N
L L N A A Y E D S S X P Q Y P
W O I M A I M K R I E O O P D
S N C C A L G A R Y E N D Y S
K D E A R A B R A B A T N A S
M O N T R E A L A E N T T A T
Z N U C L N B O S R E D S T C
E U O G T P O V Q L W U S B I
Z R I W R W A Y O I Y B D A D
K A E A R G P V T N O L E R N
N R G P J N C A M B R I D G E
P U O R M D G R S A K N L H R
E P Z E E A S Y X J S A V H U
C S A A H B T M A P M K T L L
```

ANTWERP

BELGIAN

BERLIN

CALGARY

CAMBRIDGE

CANNES

CORK

DUBLIN

KARLOVY VARY

LOCARNO

LONDON

MIAMI

MONTREAL

NEW YORK

NYON

PRAGUE

SANTA BARBARA

SYDNEY

TAMPERE

VENICE

ZAGREB

## No. 151 Parts Of A Theatre

```
P N T B B A C K S T A G E S I
A E N I N A Z Z E M L E A T C
S J U G P A O S A T R F A H A
K T R A B A L K R S E D R G T
M I A L A O R A E T D Q U I W
D U W L G T X T Y O R P T L A
M Q I E L T A C S O P M F T L
X B N R P S U U S E O C S O K
A A G Y O R N T R O H A I O E
L L S I T T R C R X T C L F Q
H C R A M U I N E C S O R P B
E O I E M R E D S C R U T O K
T N D R C E P U U Q L A R E S
S Y J L R O O D P A R T L I S
I K E G A T S E R O F O O E W
```

| | | |
|---|---|---|
| AUDITORIUM | GALLERY | ROSTRUM |
| BACKSTAGE | GREEN ROOM | SAFETY CURTAIN |
| BALCONY | GRID | SCRUTO |
| BOX | LOGE | STALLS |
| CATWALK | MEZZANINE | TRAPDOOR |
| FOOTLIGHTS | ORCHESTRA PIT | UPPER CIRCLE |
| FORESTAGE | PROSCENIUM ARCH | WINGS |

## No. 152 Best Actor Oscar Winners

```
S E T Q S C P B H G W W G D X
S P I A I R C O O P E R V S K
I S R C S L B L A U P U Q T R
T E K L M G R C R A M A L E K
K Z Z N I Z I D R O Q Q I A V
J C B R A N D O A L R R U W K
S L E C O H G D N I V B U M R
S N L P F R E Y O V N J V W O
X X I U E N S S I L R A L P
E V U K I N G S L E Y Y K E Q
H Y R R P F N S O R N A V F F
Y C O P N O D S H E S T O N I
T A R L E P H L C S A N R P R
L R D A Y L E W I S D S T A T
G T R F M G S A N A M F F O H
```

| | | |
|---|---|---|
| BRANDO | HANKS | NICHOLSON |
| BRIDGES | HESTON | OLIVIER |
| COOPER | HOFFMAN | PACINO |
| DAY-LEWIS | HOPKINS | PECK |
| DE NIRO | KINGSLEY | PENN |
| FIRTH | MALEK | TRACY |
| FONDA | MARCH | WAYNE |

## No. 153 Everyday Latin

```
H K S O H R S V I V A V O C E
A N I H C A M X E S U E D J T
B T T N A O I C I F F O X E C
E V N M S P A T P S L S C N E
A S E E U I L R N R N O B O T
S D R I S T T U J E M P T T E
C E A D B S I U C P S L T A R
O I P E E U N O A E B C B A
R G O P L A S S I Z E R A E T
P R C R L I M D L F S M S N E
U A O A I E D I F A N O B E I
S T L C N O N S E Q U I T U R
D I N T E R A L I A O W D R R
J A I C O S U P O M U N G A M
A S A R A L U B A T L F A C I
```

| | | |
|---|---|---|
| AD INFINITUM | ET CETERA | MAGNUM OPUS |
| BONA FIDE | EX OFFICIO | MEA CULPA |
| CARPE DIEM | HABEAS CORPUS | NON SEQUITUR |
| CASUS BELLI | IN ABSENTIA | NOTA BENE |
| COMPOS MENTIS | IN LOCO PARENTIS | PER SE |
| DEI GRATIA | IN SITU | TABULA RASA |
| DEUS EX MACHINA | INTER ALIA | VIVA VOCE |

## No. 154 Visit To The Doctor

```
K O U M E D I C I N E C N S M
N J W N P P T R E M P O E R S
M L C P O I O O R C T L T P C
A O X H Y I L C U E A D R O S
L R M A E R T L S C S E U E I
S Q E R S C E P S O S G I A C
O R D M R X K G E C H E N A K
U D I A U S N U R C V T J F N
R A C C N I D I P U E A E U E
A C A Y H O P D D H S R C T S
L P T G C T P V O V C V T S S
W A I T I N G R O O M R I U G
P E O O S S E N L L I L O E B
W R N R S R E T B T A Y N T D
E F L P X V O L S O U L S J S
```

| | | |
|---|---|---|
| BLOOD PRESSURE | MEDICATION | RECEPTION |
| CHECK-UP | MEDICINE | SICKNESS |
| COLD | NOTES | STETHOSCOPE |
| COUGH | NURSE | SURGERY |
| DOCTOR | PHARMACY | TORCH |
| ILLNESS | PILLS | WAITING ROOM |
| INJECTION | PRESCRIPTION | WEIGHING SCALES |

# No. 155 Fabrics

```
X O O E P B L E N D P H M K A
S W G T R O K R S P P R S V O
D S A D I B N B Q B G L R F U
W O V E N O I I T R S X E O I
U T D S T C T F B O W L H O S
E Z D F E P T L L C T P T R C
O P Y G D N E A L A C E A P I
T R O R Y S D I Q D R C E R T
I A A L A T E C R E R U L E E
R J O T Y R Y I I Y A P T T H
B N I T P E N F L A Y I L A T
S N V W W T S I U I O F W W N
K J Q N M C C T N R N L I H Y
A C S A H H B R E Q O E M H S
T I U K S A M A D R H I N L A
```

| | | |
|---|---|---|
| ACRYLIC | KNITTED | PRINTED |
| ARTIFICIAL FIBRE | LACE | RAYON |
| BLEND | LEATHER | SATIN |
| BROCADE | LINEN | STRETCH |
| DAMASK | NATURAL FIBRE | SYNTHETIC |
| FELT | NYLON | WATERPROOF |
| FUR | POLYESTER | WOVEN |

## No. 156 Bombs

```
S T I M E B O M B L E T R I S
X H C A G E N I M D N A L E U
D E P T H C H A R G E G B P B
H R E T T U C Y S I A D I U M
B M O B Y R A I D N E C N I U
M O G B M O B R A C L K A K N
O B H L R O L C R U E B R P I
B A F A I H B P S R K A Y B T
S R S P B D I T B Q T T W M I
L I K O J P E U R O K N E O O
L C M X E R S B M A C B A B N
I B S B B T J B O P M P P L P
M O O O E D O W D M N S O I I
I M M R A M R B M O B K N A T
B B M O B M L A P A N T R N R
```

| | | |
|---|---|---|
| ATOM BOMB | DEPTH CHARGE | NAPALM BOMB |
| BINARY WEAPON | GLIDE BOMB | PIPE BOMB |
| BOMBLET | H-BOMB | SMART BOMB |
| BUNKER BUSTER | INCENDIARY BOMB | SUBMUNITION |
| CAR BOMB | LANDMINE | TANK BOMB |
| CLUSTER BOMB | MILLS BOMB | THERMOBARIC BOMB |
| DAISY-CUTTER | NAIL BOMB | TIME BOMB |

## No. 157 Human Teeth

```
F I R S T M O L A R Z V W H S
F I R S T P R E M O L A R S J
L C A N I N E B C S W K E M G
A C L E G F F I W I K C H D W
I H O L N R I C I C O H T C H
T T M A S O N U S N D T E T T
H E D N T N B S D I E E E I E
I E N A E T R P O L N E T C E
R T O C N T R I M A T T K H T
D T C T A E X D T R I R C L Y
M L E O M E U S E E N E A X B
O U S O E T D W E T P P B O A
L D L R L H O B T A H P V P B
A A T I S L A H H L G U M V B
R O S I C N I L A R T N E C M
```

| ADULT TEETH | DENTIN | LOWER TEETH |
|---|---|---|
| BABY TEETH | ENAMEL | ROOT CANAL |
| BACK TEETH | FIRST MOLAR | SECOND MOLAR |
| BICUSPIDS | FIRST PREMOLAR | SECOND PREMOLAR |
| BONE | FRONT TEETH | THIRD MOLAR |
| CANINE | GUM | UPPER TEETH |
| CENTRAL INCISOR | LATERAL INCISOR | WISDOM TEETH |

## No. 158 Around Spain

```
L S E V I L L E T N A C I L A
O N L H A L L E D A B A S S D
U T C I V W R L A C S Y A R K
A O H A G R A N A D A Z P S E
T N E Z A N O L A D A B R Y H
F A L S D G X G A R H R L O T
F C S Z I D R T A B W O A D X
X A U B L R I G A L O L J E X
W R L I O N O R R E K D M I Q
S T G L D Z C Q D K G A R V Y
L A P B A E W B V A L I H O S
S G V A L E N C I A M C J R C
P E N O L I D U G N T R C O G
A N N A A M T A O L F U M Z N
X A X N V E A E Y P E M I E A
```

| | | |
|---|---|---|
| ALICANTE | GIJON | SABADELL |
| BADALONA | GRANADA | SEVILLE |
| BARCELONA | MADRID | TERRASSA |
| BILBAO | MALAGA | VALENCIA |
| CARTAGENA | MURCIA | VALLADOLID |
| CORDOBA | OVIEDO | VIGO |
| ELCHE | PALMA | ZARAGOZA |

## No. 159 Old-school Photography

```
T P P S H P F I D S E A S E L
L R R O C U O L E L E P F D E
R E I R R A C E V I T A G E N
E T N O E S U E E D I P D V L
H N T T W A S R L E H E N E A
S I D C E F M M O P W R A L R
A R R E I E A L P R D D T O G
W P Y J V L G I I O N R S P E
T T I O E I N F N J A I T E R
N C N R D G I S G E K E O R T
I A G P I H F C T C C R P B I
R T R M L T I R A T A P B A M
P N A L S B E E N O L T A T E
A O C I K O R E K R B I T H R
P C K F I X I N G B A T H A D
```

| | | |
|---|---|---|
| BLACK AND WHITE | FILM REEL | PRINT-DRYING RACK |
| CONTACT PRINTER | FIXING BATH | SAFELIGHT |
| DEVELOPER BATH | FOCUS MAGNIFIER | SCREEN |
| DEVELOPING TANK | LIGHT BOX | SLIDE PROJECTOR |
| EASEL | NEGATIVE CARRIER | SLIDE VIEWER |
| ENLARGER TIMER | PAPER DRIER | STAND |
| FILM PROJECTOR | PRINT WASHER | STOP BATH |

## No. 160 In Venice

```
B F E E Y G O F K Y V N L P O
S A S C K L L R W S S X T I N
A E T V N D A A P A D M S R I
Z N S K R A M T S N N L F O O
Z L I E L S M T I S A R E S P
A A R S N G H O I F L O O D S
I G U G S O I B R T S G D N R
P O O T T E R O T N I T Z A Y
S O T N A I M E R O N A R U M
X N E P D T K A V G S R N D A
R M T G S O D T D M I Z G A H
E K E V K P L O S J F O R X P
S S A D S R Z A G S L A N A C
R C R L A V I T S E F O Z E Z
I U T D M T R V T T U E P V Q
```

| | | |
|---|---|---|
| BRIDGES | GLASS | PIAZZAS |
| CANALS | GONDOLAS | ROMANCE |
| DA MESSINA | ISLANDS | ST MARKS |
| DOGE | ITALY | TINTORETTO |
| FESTIVAL | LAGOON | TITIAN |
| FLOODS | MASKS | TOURISTS |
| GIORGIONE | MURANO | VERONESE |

## No. 161 Things That Melt

```
T A Q H A Y R W V E A U O O J
R E L C U Q J I C E B E R G S
F O X T X H C H O C O L A T E
O F X I S A A F S R E T T U B
A K W W N E W I S I S B R R U
I R S D S S S O L F Y D N A C
T R L E I A T R A E H R U O Y
L E E K I C I T S A L P X S L
S H P C I C E C U B E S D L L
C T O I C E S C U L P T U R E
S N O W D S L C R G U L R E J
A I C E L O L L I E S E F E Z
H S A H O S R E I C A L G U H
R S F T G Q R Z E H A M O D A
A R L L L F R O S T Y E E X Y
```

| | | |
|---|---|---|
| BUTTER | GOLD | JELLY CUBES |
| CANDLES | HAIL | PLASTIC |
| CANDYFLOSS | ICE CREAM | SLEET |
| CHEESE | ICE CUBES | SNOW |
| CHOCOLATE | ICE LOLLIES | THE WICKED WITCH |
| FROST | ICE SCULPTURE | WAX |
| GLACIERS | ICEBERGS | YOUR HEART |

## No. 162 Months

```
B Q H E R A S I O S L S P L W
S J U N E E S J J U L Y A M D
E C M I L N B B U C A T I O S
X V S T N I L M R N Z T S Y F
T S L T T R F E B R U A R Y
I U R R P S I P O C T O B E R
L I T P D C S L A P E U A S A
I N A G R I A N I O S D J L U
S O I R O H P O M S E H T A N
Q D D N L T A C X P L W S H A
R E B M E T P E S H A R U P J
R C R T V P T I A O C N G N S
M R R T K Z D M V K I R U O E
R E B M E V O N J S T D A V A
U M F M P I O S H H Y I B M M
```

| | | |
|---|---|---|
| AGRIANIOS | HERASIOS | NOVEMBER |
| APRIL | JANUARY | OCTOBER |
| AUGUST | JULY | PYANEPSION |
| BUCATIOS | JUNE | QUINTILIS |
| DECEMBER | MARCH | SEPTEMBER |
| DIOS | MAY | SEXTILIS |
| FEBRUARY | MERCEDONIUS | THESMOPHORIOS |

## No. 163 Patron Saints

```
S U T A N N O N D N O M Y A R
J D E D P A U L A H T R A M F
R D N U P G Y M W S S K R R L
G I K A X F E C N E R W A L O
A D S A M S I D T F L N B H R
V I T U S A P E Z P C J R Q I
D O M I N I C E C I L I A Z A
Y H T O R O D Z S S T V B P N
Z E E Z M G B O R O Z A R S U
G R R M E O F O R A U M H H B
O I U C O P N G M G W R R S Q
B E R N A R D I N O S A L C G
S I U O L I E A C C H Q S W W
S Q L G W W F J C A T P V O R
T A E R G E H T Y R O G E R G
```

| AMAND | FIACRE | LOUIS |
|---|---|---|
| BARBARA | FLORIAN | MARTHA |
| BERNARDINO | FRANCIS OF PAOLA | MONICA |
| CECILIA | GREGORY THE GREAT | PAULA |
| DISMAS | HOMOBONUS | RAYMOND NONNATUS |
| DOMINIC | JEROME | VITUS |
| DOROTHY | LAWRENCE | ZITA |

## No. 164 'M' Celebrities

```
S  A  M  T  B  R  E  C  K  W  A  U  O  X  W
P  M  Y  O  G  E  E  R  K  Y  S  T  B  R  R
W  R  O  U  L  M  C  C  A  L  L  U  M  R  V
V  E  A  Y  S  I  E  A  R  O  M  Q  T  U  U
D  Z  N  U  E  T  N  R  S  M  I  R  R  E  N
W  V  A  L  L  R  S  A  H  O  T  D  P  S  W
T  R  H  L  I  O  S  V  A  N  N  E  K  C  M
Z  U  I  E  M  M  C  D  I  A  R  M  I  D  Z
P  P  N  W  M  C  D  E  Q  G  R  A  C  I  T
I  L  Y  O  Z  G  E  M  N  H  E  M  I  I  I
P  U  O  D  Z  R  C  N  N  A  X  A  D  A  N
R  R  M  C  K  E  L  L  E  N  H  S  P  N  E
E  N  O  M  W  G  O  A  R  R  T  S  P  R  P
A  E  A  A  N  O  T  R  O  M  Y  E  C  E  F
Q  O  N  H  S  R  A  M  I  K  F  Y  T  M  M
```

| | | |
|---|---|---|
| MARSH | MCGREGOR | MOLINA |
| MASSEY | MCKELLEN | MONAGHAN |
| MCCALLUM | MCKENNA | MOORE |
| MCDIARMID | MCSHANE | MORTIMER |
| MCDOWELL | MERNA | MORTON |
| MCENERY | MILES | MOYER |
| MCEWAN | MIRREN | MOYNIHAN |

## No. 165 Wild Flowers

```
P T B C E L A N D I N E P O S
E A Z H E A R T S E A S E O M
N A S U S D E Y E K C A L B O
N R G C Y E P A R M O O R B N
Y O G R L S P O U Y M H Y D E
R N E A I K I T R O F V R R Y
O S D N L E L A N C R V A A W
Y R N E R D S S D A E I L E O
A O A S E P S O G E Y N C B R
L D R B T E Y S R J Y X O S T
U S E I A Z D Q D K S E R T P
Z R T L W T A L R Z C O X A S
S P T L G O L D E N R O D O R
B C U C K O O F L O W E R G Z
A U B I R T H W O R T W Z Y I
```

| | | |
|---|---|---|
| AARON'S ROD | COMFREY | MONEYWORT |
| BIRTHWORT | CRANESBILL | OX-EYE DAISY |
| BLACK-EYED SUSAN | CUCKOO FLOWER | PENNYROYAL |
| BROOMRAPE | GOATSBEARD | ROCK ROSE |
| BUTTER-AND-EGGS | GOLDENROD | SOLOMON'S SEAL |
| CELANDINE | HEART'S-EASE | STONECROP |
| CLARY | LADY'S-SLIPPER | WATER LILY |

## No. 166 Feeling Virtuous

```
G R H O N E S T N E C E D F V
E L B I T P U R R O C N I E L
X N S R I G H T E O U S X T U
E Y A R B U P S T A N D I N G
M T T E C L E A N L I V I N G
P H A P L T A L A R O M D P A
L G N R L C S M E L P W S M W
A I G O E U Y T E E T E O P
R R E A K P H K A L G M R D Q
Y P L C S I M C A M E T E E D
S U I H C A H E A E H S G R E
R B C A S A T G T Y U R S A C
M T L B B G M R G V S Q H T A
R P T L E L B A T C E P S E R
E L E E L B A R U O N O H Y G
```

ANGELIC

BLAMELESS

CLEAN-LIVING

DECENT

ETHICAL

EXEMPLARY

GRACED

HONEST

HONOURABLE

MORAL

INCORRUPTIBLE

IRREPROACHABLE

MODERATE

RESPECTABLE

RIGHTEOUS

SQUEAKY CLEAN

TEMPERATE

UNIMPEACHABLE

UPRIGHT

UPSTANDING

WORTHY

## No. 167 Making It Clean

```
I L Q T H A W C D O A S T S F
A R F F B X L R E X A T P O S
F R T W P V R U O C S Q E A S
J L D E L P P P D S G T N K E
M G I S I L U A O P A I I L S
X V S N N R I R R N T U F S I
S R I A G I T W I I Z L E I R
N S N E N O S M S F T I R S U
L A F L E D A E E F Y T R O E
T F E C R T B K F A U S R U T
S S C L N A E L C G N I R P S
O T T O C M V C A I J D A N A
J E C A R Y B A W S P U E H P
J E S I L I R E T S T R L P K
D P R U U X O D B M C S C S U
```

| | | |
|---|---|---|
| CLEANSE | PASTEURISE | SCOUR |
| CLEAR | PICK | SOAK |
| DECONTAMINATE | PURGE | SPRING-CLEAN |
| DEODORISE | PURIFY | STEEP |
| DISINFECT | REFINE | STERILISE |
| DISTIL | SANDBLAST | SWAB |
| DRY-CLEAN | SANITISE | SWILL |

## No. 168 USA Places With 'USA' In

```
S K R O F E L B A S U A T A T
G B E E A L R J T O C N U S C
K S V E V L J N M T A A S U I
C M I K C I E I O I S S A N P
O L R U V V R S N L U U Y A B
L A C A O N U A A A D S A C O
U P I S P A S B S S E A N O G
S D N U E S A A U U I T W O A
A N O A L U L S S A R N Q K L
C A T W O S E U T S I A U E U
O S A Y U A M L R N A S K K S
U U S K S N I O O S R U G A A
N O U I A K I C P I P Z S L W
T H O U S A N D I S L A N D S
Y T H O U S A N D O A K S T T
```

| | | |
|---|---|---|
| AU SABLE FORKS | LAKE KOOCANUSA | SUSANVILLE |
| AZUSA | OPELOUSAS | THOUSAND ISLANDS |
| BOGALUSA | PORT SUSAN | THOUSAND OAKS |
| COLUSA BASIN | PRAIRIE DU SAC | THOUSAND PALMS |
| COLUSA COUNTY | SANTA SUSANA | TUSAYAN |
| HOUSATONIC RIVER | SAUSALITO | WAKARUSA RIVER |
| JERUSALEM | SUSANK | WAUSAUKEE |

## No. 169 Spoken Letters

```
S A X R W R R E M L A G Z Z R
L R E S W Y N G L O Y F T X W
J I I D Q B E T U T R V R M E
I B A D M Y Z J J A I B O I T
R G P E E G S F E Y N A T B T
T K E E V F H U D C X P D U O
Q Z R T A R F O Q L E G M N S
I E P I R J M S I T B I N O W
T D T R U A A M I R R I R U P
F C O I R Y E U A Z S D Y L W
H S R U E J J R P K Z R J H F
T D J E B Q A A S A M R U R T
R P B Q L L S N P Y R E J W A
S T Y F O L E S O H Z E W P H
S L R L Q U E U E W U A W B Y
```

| | | |
|---|---|---|
| AITCH | ELLE | QUEUE |
| ARE | ESS | SEE |
| AYE | EYE | TEE |
| BEE | GEE | VEE |
| DEE | JAY | WHY |
| DOUBLE-U | KAY | YOU |
| EFF | PEA | ZED |

## No. 170 Greetings Cards

```
Y H T A P M Y S H T I W R C Q
J U S T B E C A U S E Z F B U
B N O O S L L E W T E G S P Q
A O R Y O U R E L E A V I N G
P R R R F A T H E R S D A Y H
T F Y P M O T H E R S D A Y A
I L A W I D G Y B A B W E N P
S R A E Y W E N Y P P A H S P
M E R R Y C H R I S T M A S Y
E V O L H T I W Z K W V J G E
P P H O C Y A D S T N I A S A
C O N G R A T U L A T I O N S
Y A D H T R I B Y P P A H V T
B O J W E N U O Y K N A H T E
W P O E S U O H W E N I D P R
```

| | | |
|---|---|---|
| BAPTISM | HAPPY NEW YEAR | SAINT'S DAY |
| CONGRATULATIONS | JUST BECAUSE | SORRY |
| DIWALI | MERRY CHRISTMAS | THANK YOU |
| FATHER'S DAY | MOTHER'S DAY | THINKING OF YOU |
| GET WELL SOON | NEW BABY | WITH LOVE |
| HAPPY BIRTHDAY | NEW HOUSE | WITH SYMPATHY |
| HAPPY EASTER | NEW JOB | YOU'RE LEAVING |

## No. 171 Wild Cats

```
E A D S T K C W X R E G I T U
U O E H P S D O T A C D N A S
R W Q Y X T R X U O K Y S C E
O D B O B C A T E G S I P D R
P I Q B C D P C R M A G O L V
E R H G A T O T G T A R S I A
A I R U R J E K I N A R H W L
N O Z T A T L C D J I A G N T
W M T J C T W P R O T H R A S
I O O L A I O T J E K L S C Y
L T L R L Y N X E Y H L T I O
D E E D I S S H I A F T A R F
C C C T O L C R T K M H N F V
A A O N N I D N U R A U G A J
T T Y H I X D X T R A S P O P
```

| | | |
|---|---|---|
| AFRICAN WILDCAT | FISHING CAT | OCELOT |
| ASIATIC WILDCAT | IRIOMOTE CAT | PANTHER |
| BOBCAT | JAGUARUNDI | PUMA |
| CARACAL | KODKOD | SAND CAT |
| CHEETAH | LION | SERVAL |
| COUGAR | LYNX | SNOW LEOPARD |
| EUROPEAN WILDCAT | MARGAY | TIGER |

# No. 172 Programming Languages

```
L A S I V O M A D K L A L A Y
P O W T R V T K T J F T S U S
T T B N L L P E O N G F C T R
E N B O C O C J S X X A M W K
X R L A C S A P V W L D L Y D
N T U N H V L I L G N A K T U
L I L A A O U S O L O A L T D
U A R D P I M L G F H L A V T
T P E N R O I P O A D S O R P
J C P A O T S R S H P S I R H
C X T R E I T K T N O H T Y P
B A S I C R E T E U A V L B Z
T A S M A L L T A L K O L U X
U D Y N L I S P R D S O O R A
S K E C E V I T C E J B O X T
```

| | | |
|---|---|---|
| ADA | HASKELL | PERL |
| ALGOL | JAVA | PHP |
| ASP NET | LISP | PROLOG |
| BASIC | LOGO | PYTHON |
| C SHARP | MIRANDA | RUBY |
| COBOL | OBJECTIVE C | SIMULA |
| FORTRAN | PASCAL | SMALLTALK |

## No. 173 Meat Dishes

```
Y E B L R C B U R G E R O T J
E E G A S U A S M F L G T W X
P A P S K T A C X F O O P S F
F B Q E H L R O S O H N T O A
O R B A A E N T E N E R B U Q
W A I M R T P C I A H E G K F
B I I R D S T H P G T L R M C
M S P P I O T E E O N O E A A
X E W A P S L G G R I R S G S
Z D A T N M H G A T D E B V S
D P O T R O A S T S A S S B O
U H E Y B F P S T K O S P A U
H G O U L A S H O E T A O I L
A R T S Q S L L C A W C H E E
W E N M U Q L L T I S U C S T
```

BRAISED

BURGER

CASSEROLE

CASSOULET

CHOPS

COTTAGE PIE

CUTLETS

FAGGOT

GOULASH

HOTPOT

IRISH STEW

KEBAB

MEATBALL

PATTY

POT ROAST

SALAMI

SAUSAGE

SCOTCH EGG

SHEPHERD'S PIE

STROGANOFF

TOAD-IN-THE-HOLE

## No. 174 Built-up Areas

```
U U R B A N D I S T R I C T P
R E T S U L C N A B R U R N F
B E L G N U J E T E R C N O C
A D T H S S L C E R S M W I C
N O P S I C R L L T U E O T I
S W E M L O T S L N R T T A A
P N N E O S C F I E B R R B I
R T T T P M N C T C A O E R B
A O A R O O I T E Y N P T U R
W W P O L P C H C T A O U N U
L N O P A O E I I I R L M O B
R S L L G L R A T C E I M C U
D X I E E I P A Y E A S O K S
C T S X M S I L O P O R C I M
Y T I C R E N N I O T T E H G
```

| | | |
|---|---|---|
| CITY CENTRE | INNER CITY | PRECINCT |
| COMMUTER TOWN | MEGALOPOLIS | SATELLITE CITY |
| CONCRETE JUNGLE | METROPLEX | SUBURBIA |
| CONURBATION | METROPOLIS | URBAN AREA |
| COSMOPOLIS | MICROPOLIS | URBAN CLUSTER |
| DOWNTOWN | MUNICIPALITY | URBAN DISTRICT |
| GHETTO | PENTAPOLIS | URBAN SPRAWL |

## No. 175 Archaeological Periods

```
P R E P O T T E R Y S C E N R
N A E A N E C Y M P H F G N T
C A N L A Z I L I A N M A N D
J U N A I S I O L L A V E L A
H R A E I S O C E G Q O Z A E
E I E O E N O L D P L Z N S A
L G L L H L O A U I A G O T R
L N U I I F L L T T H G R U C
A A E T C E R H Y I R A B R N
D C H H N E I T R B M E W I A
I I C I W C A O U G A U A A O
C A A C T U N G P I M B R N N
P N T W N A I R E T S U O M I
K R I P G C I H T I L O S E M
X N R E W G R A V E T T I A N
```

ACHEULEAN

ASTURIAN

AURIGNACIAN

AZILIAN

BRONZE AGE

CHALCOLITHIC

GRAVETTIAN

HELLADIC

ICE AGE

IRON AGE

LEVALLOISIAN

MAGDALENIAN

MESOLITHIC

MINOAN

MOUSTERIAN

MYCENAEAN

NEOBABYLONIAN

NEOLITHIC

PALAEOLITHIC

PRE-POTTERY

SOLUTREAN

## No. 176 A Mad Idea

```
S O E L B A C I T C A R P M I
S U T L C A H S I L O O F V D
E T O E B P B A T T Y D G R I
L R P R E I A A L U D E Z T O
E A K R C T S C B F P N W S T
S G C E S I W N U S B I V A I
N E A I D U D U O Q U A D R C
E O R S S A P U H P L R K I K
S U C S S N F K L R S B D E Q
Q S S U O R E T S O P E R P D
J S K P A O T S H E B R R T A
T I M P R U D E N T O A T R O
V L A N O T F V S O I H R O I
W L T B R F E D I A N U F M A
J Y T T O P S R D B O E L Y Y
```

| ABSURD | HARE-BRAINED | OUTRAGEOUS |
|--------|--------------|------------|
| BARMY | IDIOTIC | POTTY |
| BATTY | IMPRACTICABLE | PREPOSTEROUS |
| CRACKPOT | IMPRUDENT | SENSELESS |
| DAFT | IRRESPONSIBLE | SILLY |
| FOOLISH | LUDICROUS | STUPID |
| HALF-BAKED | NONSENSICAL | UNWISE |

## No. 177 Cricketing Terms

```
Q R U U D I N A F J T S G X O
T Q X I S I B O W L E D L T M
O S R S T Q I K F U L R A L A
Y A E D N C U R S L V A T R I
R Y A A A Y R A D N U O B A D
Y H Y U M P W E R K Q J F O E
T P G C D R B R D E A Q B T N
S H A R R E L A E L L Y D P L
T T K W I C K E T K E E P E R
U R D I H N C E S S R I G Z S
M E V O T U O V D F M O F Y T
P I T C H O T E L E O A Y L I
R C L W L B R Z I G D U N Z T
T D U J T C T I L A T E R I S
L A B R U N T Y Q G S K T Q N
```

| | | |
|---|---|---|
| BATSMAN | FOUR | SEAM |
| BOUNCER | GOOGLY | SIX |
| BOUNDARY | LBW | SQUARE LEG |
| BOWLED | MAIDEN | STUMP |
| BYE | NO BALL | THIRD MAN |
| CAUGHT | OUT | WICKETKEEPER |
| FIELDER | PITCH | YORKER |

## No. 178 Famous Children's Books

```
T G L I P Z O F O D R A Z I W
I R W O L A F F U R G E H T T
B E W S E T T O L R A H C Z U
B E V A D L I T A M R M E N L
O N A R N I A E H E I D I I R
H E T I B B A R R E T E P Z E
E G O M D N A G E M B G T B T
H G F K O O B E L G N U J S T
T S U M A R Y P O P P I N S O
T A H E H T N I T A C L S N P
D N A L S I E R U S A E R T Y
R D E A R Z O O R I R R K Z R
C H O O P E H T E I N N I W R
F A M O U S F I V E P D S A A
M M T O P S S E R E H W G A H
```

| | | |
|---|---|---|
| CAT IN THE HAT | JUNGLE BOOK | PETER RABBIT |
| CHARLOTTE'S WEB | MARY POPPINS | THE GRUFFALO |
| DEAR ZOO | MATILDA | THE HOBBIT |
| FAMOUS FIVE | MEG AND MOG | TREASURE ISLAND |
| GREEN EGGS AND HAM | MR MEN | WHERE'S SPOT |
| HARRY POTTER | NARNIA | WINNIE-THE-POOH |
| HEIDI | PAT THE BUNNY | WIZARD OF OZ |

## No. 179 Kitchen Apparatus

```
E T N L W O B H C N U P R Y S
P E L L I M R E P P E P C B S
D I Z I C E S T P G U A R D R
W R E T F I S Y G D N E E R E
A A A N T A S T D O A T M A C
F M N O L I I I P D U L A O N
F N I W B M N E B R T B E B I
L I S O E G N I E H W O T D M
E A I R B E N E V S O Z S A C
I B F A R E N I A R T S A E T
R O S S E C O R P D O O F R Z
O I P Q S T O C K P O T N B I
N P R E S S U R E C O O K E R
I P D R A O B E S E E H C H R
A E E M W E R C S K R O C U U
```

| | | |
|---|---|---|
| BAIN-MARIE | EGG TIMER | SIFTER |
| BREAD BIN | FOOD PROCESSOR | STEAMER |
| BREADBOARD | MINCER | STOCKPOT |
| CAN-OPENER | PEPPERMILL | STONER |
| CHEESEBOARD | PRESSURE COOKER | TEA-STRAINER |
| CHOPPING-BOARD | PUDDING BASIN | TUREEN |
| CORKSCREW | PUNCHBOWL | WAFFLE IRON |

## No. 180 Types Of Deer

```
F O X W K U G E L D S P E T W
R A A I H B R O C K E T L F C
I C Q N A I M A L A C T A W S
E W R K R T T M M M J L F U K
Z E E G O H U E M U L T W U T
E A K Y L L C S T O S O N Z T
F W Y L E N A E W A B K L U Z
J B C H E V R O T A I N P X M
F Y L I Z S C H I T A L J R F
Y R E R S D I V A D E R E P I
T C A D F A G K I C R P U D U
Y U D T I L L I A Z U L O T T
E E U K U T S A M B A R O E J
A S W X V A P W H X G I A N T
O H S T R L Q T E A J I T T A
```

| | | |
|---|---|---|
| BAWEAN | GIANT | PUDU |
| BROCKET | HOG | ROE |
| CALAMIAN | HUEMUL | SAMBAR |
| CHEVROTAIN | MULE | SIKA |
| CHITAL | MUNTJAC | TARUCA |
| ELK | MUSK | TUFTED |
| FALLOW | PERE DAVID'S | WHITE-TAILED |

## No. 181 Things To Do With Eggs

```
G I P S A Q L Q B E M H O J R
J K F A U O P C V L A M U Q A
Y D O P Z J T O A W U T E L R
L X V D F M T E O P R P M O T
R A R V A B A M Y W K O O R R
N N U E U X A T N N G A X S T
B K U U H L A I K M W C B K I
A C L W K L F W S O E H Y S T
K A T I U I L R Q A O M I S A
Z R H T O O C L Y A L C D S G
S C R A M B L E T S A T O T K
X E O E Y T R W D S T R S O U
B K W H U F A A H J S V E R L
H A R D B O I L P I C K L E S
U B A G O S E P S O P E L D H
```

| | | |
|---|---|---|
| BAKE | HEAT | SELL |
| BUY | LAY | SOFT-BOIL |
| COOK | PARBOIL | STORE |
| COOL | PICKLE | TASTE |
| CRACK | POACH | THROW |
| FRY | SALT | WHIP |
| HARD-BOIL | SCRAMBLE | WHISK |

## No. 182 Ancient Greek Philosophers

```
P  J  D  A  R  I  S  T  O  C  L  E  A  R  U
S  O  T  P  R  O  T  A  G  O  R  A  S  S  R
A  A  R  A  G  E  M  F  O  D  I  L  C  U  E
T  Z  V  P  U  S  F  N  E  E  E  F  L  T  D
Y  P  R  C  H  Y  A  M  V  M  R  A  E  S  N
H  Z  A  H  D  Y  O  I  P  O  B  O  P  A  A
C  E  R  A  R  C  R  E  G  C  H  Q  I  R  M
R  F  R  M  R  U  D  Y  E  R  D  I  O  H  I
A  N  V  A  A  O  U  Z  R  I  O  A  D  P  X
R  Z  T  E  C  O  T  Y  W  T  S  G  O  O  A
W  E  G  L  R  L  P  H  H  U  A  A  T  E  N
S  X  E  E  I  Z  I  P  A  S  I  P  U  H  A
A  S  X  O  O  T  H  T  I  L  G  I  S  T  O
K  L  H  N  N  O  X  S  U  H  E  U  J  S  B
A  R  I  S  T  I  P  P  U  S  H  S  S  G  G
```

| | | |
|---|---|---|
| ACRION | CHAMAELEON | HERACLITUS |
| AGAPIUS | DEMOCRATES | HIPPO |
| ANAXIMANDER | DEMOCRITUS | PORPHYRY |
| ARCHYTAS | EMPEDOCLES | PROTAGORAS |
| ARISTIPPUS | EUCLID OF MEGARA | PYRRHO |
| ARISTOCLEA | GORGIAS | THALES |
| ASCLEPIODOTUS | HEGIAS | THEOPHRASTUS |

## No. 183 Mammals

```
V V K L D H S P P U J S P U A
S H R E W S A T F T W G A D S
N M M S L O H V S Q S T A X W
O R R A A R K Z E C H I D N A
B O L E M A C N A I R T C A B
B U H W M N Q I L K I E O N I
I T S S B G B R I S L S S L M
G P M H L U O A O T N O D P S
O W L R B T T M N E A M O M M
T H E E T A N A M A O R L R J
A P L E M N B T B H P A P Q U
N U R W S U C Y U O G M H U O
B R O O S U R I I T A P I R V
I B R E C C E S D U G O N G L
S Q U I R R E L O V C Q R S M
```

| | | |
|---|---|---|
| BACTRIAN CAMEL | LEMUR | SHREW |
| BAT | MANATEE | SLOTH |
| BUSHBABY | MARMOSET | SQUIRREL |
| DOLPHIN | ORANG-UTAN | TAMARIN |
| DUGONG | OTTER | TAPIR |
| ECHIDNA | PORPOISE | VOLE |
| GIBBON | SEA LION | WEASEL |

## No. 184 Guest Celebrities In 'Friends'

```
I  A  Z  A  R  I  A  W  J  S  T  A  E  Q  W
Y  J  K  Y  E  R  G  E  I  R  A  S  R  U  L
R  R  C  A  L  M  C  Q  U  L  D  O  G  L  P
S  U  E  L  L  O  U  L  T  L  L  T  N  B  B
S  D  L  E  I  H  S  L  U  J  T  I  B  K  Q
W  D  L  S  T  A  R  N  B  F  W  V  S  I  V
B  C  E  O  S  O  E  L  A  D  N  E  X  A  B
C  P  S  U  B  V  T  N  L  L  L  D  A  P  O
T  R  A  E  R  R  N  A  F  I  L  O  V  H  R
X  R  R  I  J  I  B  Q  Z  H  F  I  G  Z  Y
T  T  A  R  N  E  E  H  S  C  A  S  H  L  A
S  L  N  G  O  B  W  B  P  R  X  N  W  A  W
B  P  D  S  D  R  A  H  C  I  R  W  L  T  C
S  N  O  S  R  E  H  P  C  A  M  V  T  G  Y
R  E  N  R  U  T  R  M  W  F  R  T  T  T  W
```

| AZARIA | FANNING | SARANDON |
|--------|---------|----------|
| BALDWIN | GOLDBLUM | SELLECK |
| BAXENDALE | GREY | SHEEN |
| BLAIR | MACPHERSON | SHIELDS |
| CAHILL | RICHARDS | STILLER |
| DEVITO | ROBERTS | TURNER |
| FAIRCHILD | RUDD | WILLIS |

## No. 185 Mum And Dad Words

```
N D M M I N I M U M E A P R G
U A U U U C M C E T D T C J D
H D M M M M R U G H A C X J B
S D I E A I B A M N D U Y B A
T Y F H L T X O W B I G G J S
R L N T Y D E A J D L R I O L
R O I N M L D L M U A E S O M
E N A A M M A A O N M D O B U
J G R S U S D G D G J B D L L
E L A Y M I N D I E A B O T X
O E O R I A A R W G K C M I M
H G M H T D R T H O R S U Z U
J S L C P A B D A R E M M U M
P S U V O D A D L O S Y W U P
A O U D A D E E A I P Z G G S
```

| | | |
|---|---|---|
| ALIDADE | DADDY-LONG-LEGS | MUMBO-JUMBO |
| AOUDAD | GRANDDAD | MUMMER |
| BAGHDAD | INFIMUM | MUMMY |
| BRANDADE | ISODOMUM | MUMPS |
| CHRYSANTHEMUM | MAXIMUM | OPTIMUM |
| CRAWDAD | MINIMUM | SKEDADDLE |
| DADAISM | MUMBLE | SOLDADO |

## No. 186 Watching The Olympics

```
X W S E P T E V E N T I N G L
M W S O U L G O L N D T Y L G
B O E W Y R E H C R A M A S N
P A U I R R Y S E B N B Y U I
C T G N E O S L A Y U R C T
Y H N N T H S E S E J W H C O
C L I S I A T T L H R X R D O
L E X A G E I L L A B D N A H
I T O E N C O N I I N Y P D S
N I B N S V J N B F N E D I A
G C I H H U D U A I T G B V M
U S U C J N F N D C K I L I S
L T A E K W O N D O R I N N S
Y E K C O H D L E I F X N G E
B V R R I J P F E N C I N G L
```

ARCHERY

ATHLETICS

BEACH VOLLEYBALL

BMX

BOXING

CANOEING

CYCLING

DIVING

DRESSAGE

EVENTING

FENCING

FIELD HOCKEY

GYMNASTICS

HANDBALL

JUDO

MOUNTAIN BIKING

SHOOTING

TABLE TENNIS

TAEKWONDO

WEIGHTLIFTING

WRESTLING

## No. 187 Modern Artists

```
J L W L M N F M U A T P T I T
R R E O P K A K A O S X T Z Y
S Z R H A N R V L R M N Y X I
U K N R L A J W N I R I I L B
O S S A C I P O A O M E K B E
M R T W E R T F T H S T K N Z
I R H N Z D L R P X S S P X I
I B I O P N U B A C O N A T O
P L R L P O R E H C S E I M T
K C S A E M A G R I T T E N V
U D T D Q Y E N K C O H I L O
O R F R E U D P M A H C U D P
S Z I L A D E K O O N I N G U
N R T G C R L Z P O L L O C K
O X A H P U H X Y V E E D Q T
```

| | | |
|---|---|---|
| BACON | FREUD | MAGRITTE |
| BRAQUE | HIRST | MASSON |
| DALI | HOCKNEY | MONDRIAN |
| DE KOONING | INSHAW | PICASSO |
| DUCHAMP | KLIMT | POLLOCK |
| ERNST | KLINE | RILEY |
| ESCHER | LICHTENSTEIN | WARHOL |

## No. 188 Eurovision Countries

```
S P A S L B Q P D T X I L D T
U S I U C E C N E J E A U J S
Z B B R S L A A F O S E N M S
U H R P R L O R N A T Q I A P
S I E Y E S O N S O O B T C S
T S S C A U T V I I N H E E A
W E I U N K T I E R I D D D I
V T S M R R A W P N A O K O V
Y R A I N A B L A R I M I N T
O T V R H I L I T H U A N I A
O T O J M N Y E K R U T G A L
T H D A L E V G B H A Y D W S
W M L A R B N A I N A M O R F
G E O R G I A I S S U R M X O
Y S M V G E R M A N Y A S E J
```

| | | |
|---|---|---|
| ALBANIA | ICELAND | RUSSIA |
| ARMENIA | ISRAEL | SAN MARINO |
| BELARUS | LATVIA | SERBIA |
| CYPRUS | LITHUANIA | SLOVENIA |
| ESTONIA | MACEDONIA | TURKEY |
| GEORGIA | MOLDOVA | UKRAINE |
| GERMANY | ROMANIA | UNITED KINGDOM |

## No. 189 Green Colours

```
C N T T M P P D E M I L R A D
T M E P C E L A D O N E I L A
E I Y E Z O C R A S I Z M H H
D M U R R H H K R S N L S F N
A J E P T G O O T Y D N A P K
J A U R L L N L M E I O M E N
R S F N A O E I O X A R I S T
N P N T G L Y V U C G E N U W
S A O Q P L D E T Q R V T E J
W R I O Q P E Z H S E O S R P
W A T D E U W G G O E L E T I
S G T G I I N R R R N C R R W
H U N T E R G R E E N L O A W
H S Z O X F I U E R E A F H H
U E J B J W Q V N F S N R C G
```

| | | |
|---|---|---|
| ASPARAGUS | FERN | JUNGLE GREEN |
| CELADON | FOREST | LIME |
| CHARTREUSE | HARLEQUIN GREEN | MINT |
| CLOVER | HONEYDEW | MOSS |
| DARK OLIVE | HUNTER GREEN | MYRTLE |
| DARTMOUTH GREEN | INDIA GREEN | TEAL |
| EMERALD | JADE | VIRIDIAN |

## No. 190 Shades Of Purple

```
P C S U A P K V U E D S I D P
A E F V L F B R O G I D N I S
L R L U I T A Y E L T S I H T
A I M K C O E N Z D T F R C U
T S R O N H L W D A N I E R S
I E E O T I S E F A N E D O W
N K U A S V W I T Q N T V F J
A W I S T E R I A B R G I A X
T Y R I A N P U R P L E O U L
E N T N A L P G G E S U L E M
R S H E L I O T R O P E E Q I
A T N E G A M E T H Y S T B L
J L F A D F P X L J T Q I I A
V K U S S T K E R C R R T R S
X P K P S M R I A L U R T T I
```

| | | |
|---|---|---|
| AMETHYST | INDIGO | PLUM |
| BYZANTIUM | IRIS | RED-VIOLET |
| CERISE | LAVENDER | ROSE |
| EGGPLANT | MAGENTA | THISTLE |
| FANDANGO | ORCHID | TYRIAN PURPLE |
| FUCHSIA | PALATINATE | VIOLET-BLUE |
| HELIOTROPE | PERIWINKLE | WISTERIA |

## No. 191 Greek Tragedy Characters

```
C D S P H S B L R S P M U B U
G K R U Z E I K L E H L E O A
J B N O E R C T H T I J L E A
A W A L L N P U S R L I E D N
J T R Q Q K A I B E O R C I D
R O Y N Q O J P Z A C X T P R
P M C D O A A H A L T L R U O
F Y T A E N X I O C E V A S M
A Y M P S U M G S R T X C U A
L I H A R T S E N M E T Y L C
N A T A S A A N M E S S I C H
P R M K E F Q I Y A L Q T O E
S L C F E M A A X X G E E E K
S S H E E N O G I T N A H T S
D H K C J R R N R T M E D E A
```

| | | |
|---|---|---|
| AGAMEMNON | CREON | JOCASTA |
| AJAX | ELECTRA | LAERTES |
| ALCESTIS | ETEOCLUS | MEDEA |
| ANDROMACHE | HAEMON | OEDIPUS |
| ANTIGONE | HECUBA | ORESTES |
| CAPANEUS | HELEN | PHILOCTETES |
| CLYTEMNESTRA | IPHIGENIA | TYDEUS |

## No. 192 Musical Movements

```
C O N C E R T O V E R T U R E
V U A H E O E A B Y U C H S S
O I W R H L A G I R D A M A I
E V F I R P R K S E P N H S A
U A L S I S R U L S T T P P N
T O C C A T A E O O N I I A O
S T M U A K E D L V P C U D L
Z C S A I F Y T Y U S L U S O
K P R A S E R E N A D E K Z P
A S E A A S J U O I T E V J S
Q U A R T E T N H I U F O O A
A T A T N A C I P P H Q R C I
U O R A A A N M M D V T O S I
I I X K F L E O Y S W A L O L
O S Z W L V V P S C I T F P M
```

| | | |
|---|---|---|
| CANTATA | MINUET | RHAPSODY |
| CANTICLE | OVERTURE | SERENADE |
| CONCERTO | POLKA | SONATA |
| DUET | POLONAISE | SUITE |
| FANTASIA | PRELUDE | SYMPHONY |
| MADRIGAL | QUARTET | TOCCATA |
| MASS | QUINTET | TRIO |

# No. 193 Thank You!

```
T T Y M C F L T Q U S T T S P
J A D O T V T I O B I S A P S
S K E P T G E B O O P F X S O
T K E L P S R L O U U R A S T
S T J G H I I A I S M A K V I
I C H R G D M R Z J L T I E I
U R O A K C A T A I U M C K K
T Z D C N C K P S H A K R N H
C O Z I S K A U A A F S E A P
H T I A O A S I I T X E M D O
I A E S A R I G A T O Y A I A
U R K A J R H T J R P Z A O R
R L U S R A G W A L U X T L T
G A J V X L I A I R L S L C I
M S E X Y A O L V D G F A H A
```

| | | |
|---|---|---|
| ARIGATO | GRACIAS | SPASIBO |
| DANKE | GRATIAS | TACK |
| DEKUJI | GRAZIAS | TAKK |
| DIOLCH | KAM SIA | TAPADH LEAT |
| DOHJE | KIITOS | TERIMAKASIH |
| DZIEKUJE | MERCI | THANKS |
| EFHARISTO | OBRIGADO | TODA |

## No. 194 The New Testament

```
N L V T H E B R E W S R I S R
B P H I L I P P I A N S R U T
I S P T E P H E S I A N S J M
X R N H Q R R O S R I A K C C
Y U H A I J O Y E R N I N I E
A O O Y I L G M M P O H O P U
S L J M H T E R A L T I A Q
P W E H T T A M J N A N T O J
P Q S K N C O L O S S I A N S
A G Z P F S J M A N S R L K T
M R A L E K U L I G E O E M C
R Q V U B T D T U T H C V R A
G X R T Y C E P I S T L E S B
K W P P B P O R Y T M A R K F
O O A F A H J A T Z R A W Q O
```

| | | |
|---|---|---|
| ACTS | JAMES | PHILEMON |
| COLOSSIANS | JOHN | PHILIPPIANS |
| CORINTHIANS | JUDE | REVELATION |
| EPHESIANS | LUKE | ROMANS |
| EPISTLES | MARK | THESSALONIANS |
| GALATIANS | MATTHEW | TIMOTHY |
| HEBREWS | PETER | TITUS |

## No. 195 Time For Bed

```
K T M A E R D E R I T E Z Z Z
I S K Z M P I S X S U E C D H
H I H R I S W V L P S J R M Y
N E O U T D E T S U A H X E A
A S P E T R R P E N M G E M T
Z T E C H E V I T P O B S Z N
Y A E P G S Y W F O A O E C O
H T L I I T R E O T S N Z R U
U I S K N I W Y T R O F T E E
P T A D O Z Y D T D N F H A R
L U L I G H T S O U T O F U C
Q K L M G Q N F W Z Z S U S Y
A N A V V E F E T O X T S T D
E K F F O P O R D X R I G Y U
T O R A R S Q G T R A D L U I
```

| | | |
|---|---|---|
| CATNAP | FALL ASLEEP | SHUT-EYE |
| DOZY | FORTY WINKS | SIESTA |
| DREAM | KIP | SLUMBER |
| DRIFT OFF | LIGHTS OUT | SNOOZE |
| DROP OFF | NIGHT-TIME | TIRED |
| DROWSY | NOD OFF | WORN OUT |
| EXHAUSTED | REST | ZZZ |

## No. 196  US Female Pop Stars

```
R A I P J A N I M I K C I N I
E H H K B S U Z I Q U A T R O
S S A R A H B U X T O N N G O
A E Y M I L E Y C Y R U S N U
B K L A N A D E L R E Y T U P
R J E S S I C A S I M P S O N
I F Y G N I K E L O R A C Y R
N E W H I L A R Y D U F F Y E
A L I S S A M O R E N O P H H
D O L L Y P A R T O N R P T C
S I L L I W E N H P A D T A Y
B R I T N E Y S P E A R S K B
D N A S I E R T S A R B R A B
Z E M O G A N E L E S I L E K
N O S K R A L C Y L L E K A S
```

| | | |
|---|---|---|
| ALISSA MORENO | HAYLEY WILLIAMS | LANA DEL REY |
| BARBRA STREISAND | HILARY DUFF | MILEY CYRUS |
| BRITNEY SPEARS | JESSICA SIMPSON | NICKI MINAJ |
| CAROLE KING | KATHY YOUNG | SABRINA |
| CHER | KELIS | SARAH BUXTON |
| DAPHNE WILLIS | KELLY CLARKSON | SELENA GOMEZ |
| DOLLY PARTON | KESHA | SUZI QUATRO |

## No. 197  Can Be Charged

```
Z O E N O H P E L I B O M E N
J R M A T A D O R T D B U N Z
D R A C T I D E R C O O S U U
N L G N H P E S S A I R I M C
I O C G O T O A T R D H C S G
Y Z I P I I T T E A S P H H
R S N T O N T E P M R U L C U
O H O U A R B S L A S R A R N
S A R V N U T S E C L B Y I T
F V T B M E T A T G I H E M N
I E C L T K T I B R N T R I S
Y R E T T A B A S L H O R N R
S O L A R L A M P Q E O C A A
S R E N E T H G I A R T S L P
L V Y F U J O B U P O P V D A
```

| | | |
|---|---|---|
| BATTERY | LAPTOP | SATNAV |
| CAMERA | MATADOR | SHAVER |
| CONGESTION | MOBILE PHONE | SITUATION |
| CREDIT CARD | MUSIC PLAYER | SOLAR LAMP |
| CRIMINAL | PARTICLE | STRAIGHTENERS |
| ELECTRONIC GAME | PORTABLE TV | TOOTHBRUSH |
| FEE | RADIO | TORCH |

## No. 198 Non-venomous Snakes

```
V B N N N Y S S O L G G I M D
S A O B E E R T D L A R E M E
Y L H U A L E A Q A H E K J S
E L T R R L T R A O T H A S E
T P Y M E O A S G E A P N T R
A Y P E T W W E A H R O S A T
R T E S A R D D D B G G N R K
K H E E W A E A N N N U R S I
C O R P N T D L O O I R O D N
A N T Y W S N G C B K E C R G
L C N T O N A R A B Y S F I S
B T E H R A B E N I M S Z A N
M A E O B K R V A R E F O B A
T U R N S E R E D M I L K R K
B H G H O G N O S E S N A K E
```

| | | |
|---|---|---|
| ANACONDA | CORN SNAKE | HOGNOSE SNAKE |
| BAIRD'S RAT | DESERT KINGSNAKE | KING RAT |
| BALL PYTHON | EMERALD TREE BOA | RED MILK |
| BANDED WATER | EVERGLADES RAT | RIBBON |
| BLACK RAT | GLOSSY | ROSY BOA |
| BROWN WATER | GOPHER | ROUGH GREEN |
| BURMESE PYTHON | GREEN TREE PYTHON | YELLOW RAT SNAKE |

## No. 199 Bags

```
N I L K K B H G I G M D E L J
P E L D D A S S U D U F F E L
G T M S I C K A Z O B A R S O
D O H S M K J T K C C T E R O
R T I G H P M C K T Z H C U H
V R R L K A T H A O W L K B C
M K E S A C F E I R B E S B S
S I G D H K A L U S R T J I A
F R N A L O E S A C T I U S T
K T E I B U P S K A A C E H T
Q S S C M D O P H C A K P R R
A A S O O W N H I P U H Q S Q
R L E V A R T A S N R R V K G
S A M P T S D J H L G H V Q S
V K G P K N R V A L R U I Q A
```

| | | |
|---|---|---|
| ATHLETIC | HANDBAG | SCHOOL |
| BACKPACK | MESSENGER | SHOPPING |
| BRIEFCASE | RECORD | SHOULDER |
| BUM | RUBBISH | SICK |
| CARRIER | RUCKSACK | SUITCASE |
| DOCTOR'S | SADDLE | TOTE |
| DUFFEL | SATCHEL | TRAVEL |

## No. 200 Types Of Tea

```
X U M C C L S N U Z A P R S E
N K V H T R O W L I N E K A L
J Z A A C U S O B I O O R O K
Q I E M B S D I M B U L A E T
S Y M O V S L A D Y G R E Y K
K E U M Q I D S N R R M O A G
R A S I P A A D E O U E K E G
B T G L S N R Y N N L C E V G
G R E E N C J U I N L Y P T P
S M A S S A E P G R A K E S U
S E S S S R E O O L O N G C V
J P H G R A L J A S M I N E K
V L S A M V I Z H Z F E A U W
M A S A L A N N I L G I R I Y
L A P S A N G S O U C H O N G
```

| | | |
|---|---|---|
| ASSAM | GREEN | NILGIRI |
| CEYLON | JASMINE | OOLONG |
| CHAI | KEEMUN | ORANGE PEKOE |
| CHAMOMILE | KENILWORTH | ROOIBOS |
| DARJEELING | LADY GREY | RUSSIAN CARAVAN |
| DIMBULA | LAPSANG SOUCHONG | UVA |
| EARL GREY | MASALA | YUNNAN |

## No. 201 Feeling Shy

```
G T E R C E S S E C L U D E D
U N C O M M U N I C A T I V E
T E I U Q B S R D P H S E V T
R C G M K T E I R O O S L L R
C I J K O S S I U L R T B X E
Q T E I E C V G A S J A A C V
T E C R R A H T A O M C T S O
M R V E T T E T E B L I I A R
S E E E F D W K R T P T C I T
D T S U B D U E D O V U X N N
A I L O N E L Y H S F R E B I
N R R W I T H D R A W N N H I
V I L R Q E Z W W P K S U V A
M N L S N T Z U T Z X Z V A S
R G E J A S S S O W E K T R U
```

DISCREET

INTROVERTED

ISOLATED

LONELY

MEEK

PRIVATE

QUIET

RESERVED

RETICENT

RETIRING

SECLUDED

SECRET

SHY

STOIC

SUBDUED

TACITURN

THOUGHTFUL

UNCOMMUNICATIVE

UNEXCITABLE

UNFORTHCOMING

WITHDRAWN

## No. 202 Home Computers

```
T I V U E M L A R A A M U V U
E L A D W L A Z E S M T T H B
P L B T I C B B C M I C R O R
G Y E S A C P B O A G F X A J
H R A C I R P D C M A N J U G
L H S O T N I C A M E L P P A
A T E V C R C S D R A I U U T
C P M B I Q O L T A T S R S O
N N P S R L U N A E R S T T C
R T C G O A T A R I T T M E I
O P I K N O G A R D R L S A R
C Z X S P E C T R U M Q F M P
A R S E D E M I H C R A L B A
O E V R O T X T M A U P U B E
R P U U P D N R A A T Y Q F O
```

| | | |
|---|---|---|
| ACORN | ATARI ST | JUPITER ACE |
| AMIGA | ATARI TT | LISA |
| AMSTRAD CPC | BBC MASTER | ORIC |
| AMSTRAD PCW | BBC MICRO | PET |
| APPLE MACINTOSH | DRAGON | RISC PC |
| APRICOT | ELECTRON | SINCLAIR QL |
| ARCHIMEDES | IBM PC | ZX SPECTRUM |

## No. 203 Halloween

```
D V S T I R I P S T L X S J A
Q S E I R I A F F R R W L A O
L T L D M S P C B N E R R A K
L R D P A O S U A E V U G T F
L A N T E R N S T U Y Y N R G
J W A N S S K S I K L C I I A
B I C E A L S A T M S D V C N
U T U M H U U E J E T R R K K
K C I T S M O O R B R E A O P
D H J N S F A H H D N S C R N
H E T A O G O J A G Y E G T D
R S G H O S T S Y R A C S R D
H H P C J E P U M P K I N E A
P G G N I B B O B E L P P A R
F P R E B O T C O H L C A T F
```

| | | |
|---|---|---|
| APPLE BOBBING | ENCHANTMENT | OCTOBER |
| BROOMSTICK | FAIRIES | PUMPKIN |
| CANDLES | FANCY DRESS | SCARY |
| CARVING | GHOSTS | SPIRITS |
| CAT | GHOULS | SWEETS |
| CAULDRON | LANTERNS | TRICK OR TREAT |
| DARK | MONSTERS | WITCHES |

## No. 204 Nationalities

```
V L Y G Z N P K Q X T H E P B
T A N R S R F R E N C H S O O
S Q O E P E D E N I P S E L C
C S T E O A R G E N T I N E S
H S I K R U T B R A R T A G S
A A R E S A Q I M I E T P Y N
E T B S R T T E M L N O A P V
S H I S W A R V L A G C J T U
E A S E L I D F I R L S F I R
N L L I C N N D J T I L D A R
I S A A N C A D P S S O E N M
H N N V O N I M I U H C S S R
C T V T A T I V R A L J Z F R
R D T C M I M F Q E N Q R Q J
Q T N O A N U G S U G R Q S S
```

| | | |
|---|---|---|
| AMERICAN | ENGLISH | JAPANESE |
| ARGENTINE | FINNISH | POLE |
| AUSTRALIAN | FRENCH | RUSSIAN |
| BRITON | GERMAN | SCOTTISH |
| CANADIAN | GREEK | SERB |
| CHINESE | INDIAN | TURKISH |
| EGYPTIAN | ITALIAN | WELSH |

# No. 205 Double Z Words

```
W  Q  R  T  I  R  A  Z  Z  M  A  T  A  Z  Z
Y  Z  Z  I  D  E  L  Z  Z  A  D  E  B  A  T
S  P  G  H  G  P  A  P  A  R  A  Z  Z  I  X
D  K  U  N  N  C  A  B  M  V  Z  Y  R  E
Q  E  Z  Z  I  I  I  S  N  A  Z  Z  I  E  R
P  W  Z  U  Z  L  Z  L  Y  A  B  I  T  Z  G
O  G  L  Z  Z  L  Z  P  Z  V  Z  R  H  Z  Z
R  M  I  O  I  I  I  Z  T  Z  S  U  S  I  U
Y  R  N  S  U  F  U  N  U  H  E  S  K  P  F
Z  L  G  Z  Q  S  Q  C  G  N  L  B  U  E  D
R  Q  Z  Y  P  J  A  Z  Z  Y  Z  Z  M  C  I
U  A  E  Z  I  J  D  F  R  I  Z  Z  I  E  R
E  L  Z  Z  I  W  S  L  T  L  U  B  I  X  E
H  A  I  J  T  R  F  F  E  O  M  T  M  S  Y
V  Z  F  F  I  R  D  D  T  T  G  J  A  O  F
```

| | | |
|---|---|---|
| BEDAZZLED | JACUZZI | PUZZLING |
| DIZZY | JAZZY | QUIZZICAL |
| DRIZZLY | MUZZLES | QUIZZING |
| EMBEZZLING | NUZZLING | RAZZMATAZZ |
| FIZZED | PAPARAZZI | SNAZZIER |
| FRIZZIER | PIZZERIA | SWIZZLE |
| GUZZLING | PUZZLED | ZIZZ |

## No. 206 UK Football Clubs

```
S B S W A N S E A C I T Y D Y
O R R L Z D B S R H T T T E T
U I E I S N W E S E N E I T I
T S R V T A I N E L P T C I C
H T E E O L G E N S A G H N R
A O D R K R A V A E E N C U E
M L N P E E N E L A P I I M T
P C A O C D A R G I Y D W A S
T I W O I N T T U T R A R H E
O T N L T U H O W B V E O T H
N Y O C Y S L N L R K R N S C
D E T I N U E L T S A C W E N
F U L H A M T D R O F T A W A
L R O A L L I V N O T S A L M
T F B Y T I C F F I D R A C B
```

| | | |
|---|---|---|
| ARSENAL | EVERTON | SOUTHAMPTON |
| ASTON VILLA | FULHAM | STOKE CITY |
| BLACKBURN ROVERS | LIVERPOOL | SUNDERLAND |
| BOLTON WANDERERS | MANCHESTER CITY | SWANSEA CITY |
| BRISTOL CITY | NEWCASTLE UNITED | WATFORD |
| CARDIFF CITY | NORWICH CITY | WEST HAM UNITED |
| CHELSEA | READING | WIGAN ATHLETIC |

## No. 207 Skin Marks

```
O Z P I A T A R Q R L N L A A
A N P S C N T I A B L I D F A
Z M L F R E C K L E B A N K K
W A A I J D G O B I M T K E U
S B A N T L T D R E H S L O S
A S L G P C P T U N S U G Q V
P K C E H I H H I M S P I X R
S C A R M M H C S B S T L V B
L K P P A I K C E S D P I B Y
A C L R S T S G P A Q T O J L
W E K I P P C H L N S M U T L
M P S N A C E H C S A E G O S
O S S T T V X F Q T A D I L X
J J C U T E N I U R O Q D M K
O H S U W H I Z O R C N Q T O
```

| | | |
|---|---|---|
| BIRTHMARK | FINGERPRINT | SCAR |
| BLEMISH | FRECKLE | SCRATCH |
| BLOTCH | LINE | SMEAR |
| BRUISE | NICK | SMUDGE |
| CHIP | NOTCH | SPECK |
| CUT | PATCH | SPOT |
| DENT | PIMPLE | STAIN |

## No. 208 British Rivers

```
U A V R S R N C L T T Z U Z F
I A T Q P S I O U P U E N A P
O M F V F B P R I N U J E A A
R P M V G I S X S T R U A O G
X U Q U R R E N N N A B H M S
G I D E R W E N T R I R V P Q
L H X W I T T A T V E W Z A O
H T Z T B P B Y T S S V Y A E
U E H N J E R I A O A M E M T
T A D E E W T U B W U B S S M
M A A R D A R A R Y D S R F E
A V S T P Y A T T E M E E Y N
X O Y N Z X L R X T H A M E S
W N Z S A Z G C K P M K N P O
E P R N I A N A O F F E O S P
```

| | | |
|---|---|---|
| AIRE | MERSEY | THAMES |
| AVON | NENE | TRENT |
| BANN | SEVERN | TWEED |
| CLYDE | SPEY | TYNE |
| DERWENT | TAY | URE |
| GREAT OUSE | TEES | WITHAM |
| MEDWAY | TEME | WYE |

## No. 209 US States

```
O  T  D  N  A  L  Y  R  A  M  A  I  N  E  U
H  E  A  A  T  O  M  I  C  H  I  G  A  N  I
A  U  D  I  O  A  L  F  A  D  A  V  E  N  Z
D  X  R  N  K  L  M  O  O  T  L  W  E  S  S
I  N  D  I  A  N  A  A  R  P  M  B  S  Y  O
R  S  T  G  D  L  F  K  B  E  R  M  S  P  Z
A  O  J  R  H  E  S  P  X  A  G  A  E  K  A
M  N  M  I  T  B  V  I  S  A  L  O  N  E  R
T  I  A  V  R  F  C  K  E  C  T  A  N  N  R
Q  A  S  T  O  O  A  D  Z  D  N  C  E  T  P
L  N  I  S  N  O  C  S  I  W  O  L  T  U  W
D  U  W  E  O  O  F  G  N  M  M  H  L  C  J
O  R  T  W  T  U  M  T  T  L  R  Q  R  K  L
D  E  L  A  W  A  R  E  F  M  E  N  L  Y  R
T  G  A  U  H  I  X  I  S  A  V  A  E  T  R
```

| | | |
|---|---|---|
| ALABAMA | MICHIGAN | OREGON |
| DELAWARE | MISSOURI | RHODE ISLAND |
| IDAHO | MONTANA | TENNESSEE |
| INDIANA | NEBRASKA | UTAH |
| KENTUCKY | NEVADA | VERMONT |
| MAINE | NEW MEXICO | WEST VIRGINIA |
| MARYLAND | NORTH DAKOTA | WISCONSIN |

## No. 210 British Home Secretaries

```
A T W U R V N L N X A Y F M M
O Z F T B R O O K E K R A L C
O D C C H U T E R E D E Q M P
J J T D I A G O S I R T Y M F
N O S R E D N E H O Y T S S A
S H C A V E I R A F S E W I S
R N N W X R D J U Q B K Z C B
M S T O T G D N E O T N I E A
R O S H M R A E A T M U A C K
U N N A O I W H I T E L A W E
E S Q J G D S Z H T T B I W R
A M U F I M A O O R L I A G Q
S E Y O I N W E A O E O R I J
P A T T U V R T R H T E K B P
B R H R C L Y N E S D T S A O
```

BAKER

BLUNKETT

BRITTAN

BROOKE

CAVE

CHUTER EDE

CLARKE

CLYNES

GILMOUR

HENDERSON

HOARE

HOWARD

JOHNSON

MAY

REES

SHORTT

SIMON

SMITH

SOSKICE

WADDINGTON

WHITELAW

## No. 211 Styles Of Furniture

```
E N I T R A M S I N R E V F C
V Z Y D G Q D Y N A G P T T H
Y L R R O C O C O N A P R N I
R T A O V R A S T G I I A A P
E R M O T E K F A L N L N I P
I Z D L C A G E R O S I S L E
E E N A D E U U E I B H I L N
M N A I S L D Q H N O P T E D
R N M C U H P T S D R S I W A
E A A N B Q A P R I O I O M L
D N I I O T S K A A U U N O E
E E L V U G S I E N G O A R S
I E L O L H U B U R H L L C L
B U I R L A R T N O U V E A U
A Q W P E T I H W E L P P E H
```

| ANGLO-INDIAN | CROMWELLIAN | QUEEN ANNE |
| ART DECO | GAINSBOROUGH | ROCOCO |
| ART NOUVEAU | HEPPLEWHITE | SHAKER |
| BIEDERMEIER | LOUIS PHILIPPE | SHERATON |
| BOULLE | LOUIS-QUATORZE | TRANSITIONAL |
| BUHL | LOUIS-QUINZE | VERNIS MARTIN |
| CHIPPENDALE | PROVINCIAL | WILLIAM AND MARY |

## No. 212 British Actors

```
P G D A N I E L C R A I G N S
H E N I A C L E A H C I M H B
J R E S J R Y D L G O A T T E
O O I T O F O H A A N N N R Y
H O R E S Y C U N R O M I I E
N M U P E R D G R Y S C R F C
C Y A H P R R H I O E K G N N
L E L E H U A G C L E E T I A
E L H N F C H R K D N L R L L
E D G F I M C A M M M L E O Y
S U U R E I I N A A A E P C R
E D H Y N T R T N N I N U S K
D S E N N E I F H P L A R J R
Q I R Y E N N I F T R E B L A
T R D E S S E L B N A I R B M
```

| | | |
|---|---|---|
| ALAN RICKMAN | HUGH GRANT | MARK RYLANCE |
| ALBERT FINNEY | HUGH LAURIE | MICHAEL CAINE |
| BRIAN BLESSED | IAN MCKELLEN | RALPH FIENNES |
| COLIN FIRTH | IOAN GRUFFUDD | RICHARD COYLE |
| DANIEL CRAIG | JOHN CLEESE | RUPERT GRINT |
| DUDLEY MOORE | JOSEPH FIENNES | STEPHEN FRY |
| GARY OLDMAN | LIAM NEESON | TIM CURRY |

## No. 213 Hotel Visit

```
S  T  A  R  R  A  T  I  N  G  M  U  E  M  O
Z  I  Q  Y  B  N  O  N  N  I  B  P  A  I  C
C  N  T  T  R  M  W  R  I  T  E  K  T  M  J
O  L  S  U  U  I  E  O  R  K  E  I  P  S  M
F  O  A  O  T  N  L  O  D  U  C  R  L  A  N
F  O  F  K  S  I  S  M  P  N  Z  E  N  F  H
E  P  K  C  I  B  T  M  R  T  R  A  H  E  K
E  G  A  E  D  A  Y  O  S  L  I  U  R  C  T
M  N  E  H  T  R  E  V  O  D  X  A  T  U  S
A  I  R  C  O  N  D  I  T  I  O  N  I  N  G
K  M  B  O  N  Q  N  E  W  S  P  A  P  E  R
E  M  M  R  O  O  M  S  E  R  V  I  C  E  C
R  I  O  C  D  L  S  E  S  N  E  P  X  E  P
S  W  A  K  E  U  P  C  A  L  L  J  U  C  E
R  S  E  I  R  T  E  L  I  O  T  A  I  I  L
```

| | | |
|---|---|---|
| AIR CONDITIONING | IN-ROOM MOVIES | SAFE |
| BREAKFAST | INTERNET | STAR RATING |
| CHECK-IN | LIE-IN | SWIMMING POOL |
| CHECK-OUT | MAKE UP MY ROOM | TOILETRIES |
| COFFEE-MAKER | MINIBAR | TOWELS |
| DO NOT DISTURB | NEWSPAPER | TURN-DOWN |
| EXPENSES | ROOM SERVICE | WAKE-UP CALL |

## No. 214 Volcanoes

```
A T T A I I L F R V C F K B U
E W O M A U N A L O A S M R R
S P A M A I K I U L A W U N A
Y A E U A L I K R A K A T O A
U O B V T Y K I M O P F E M P
G B K E X F O E O E T Y T O O
S U I S T Z R N H V D N N N S
P T A U V A U U F T B E A T V
R A R V P E S N E L E H T S U
R N S I L K H N I T E I D E L
O I N U W A I C J A F I F R C
X P D S N Y A M U R A G I R A
T R R S M U P T F Y Z A S A N
C L Z S T R O M B O L I Z T O
I R R X P S O B E P M K Y R N
```

| | | |
|---|---|---|
| ETNA | MAYON | ST HELENS |
| FUJI | MERAPI | STROMBOLI |
| HEKLA | MONTSERRAT | TAAL |
| KILAUEA | NYAMURAGIRA | TEIDE |
| KLYUCHEVSKOY | PINATUBO | ULAWUN |
| KRAKATOA | RUAPEHU | VESUVIUS |
| MAUNA LOA | SANTORINI | VULCANO |

## No. 215 Safari Animals

```
L F P O A U O A H C W S T J R
Z T C A R A C A L A R O L P O
E L F R N Y G M E A T R S S S
D D D B Y T X O K T F E O D T
M G S E A G E E D R M C E P R
N T N Z L C D L L D L O V H I
P J B U F F A L O E L N A A C
I S U M A T O P O P P I H O H
Q R T G T S M P A P E H W M A
N J M A I L A K C A J R A D C
K O D Z L R U P C N D O R N A
F P I E D A A V A E S O T S T
O D U L S P P F A Y P T H O R
S A U L W A U M F H V M O B L
G R U E O K A P I E E S G Z L
```

| ANTELOPE | GNU | OKAPI |
|----------|-----|-------|
| BUFFALO | HIPPOPOTAMUS | ORYX |
| CARACAL | HYENA | OSTRICH |
| CHEETAH | IMPALA | RHINOCEROS |
| ELEPHANT | JACKAL | WARTHOG |
| GAZELLE | LEOPARD | WILD DOG |
| GIRAFFE | LION | ZEBRA |

# No. 216 Australian Rules Football

```
E E R I P M U Y R A D N U O B
N L O A F I E L D U M P I R E
I C R U T R T U C S N L O E G
L R A R T N T P F R I W P V N
L I D E N O U O X U N B E O A
A C V R U P F P F L E A N R H
O E A I P O C B O W T L A K C
G R N P P C L W O D E L L C R
N T T M O K M Y T U E U T U E
I N A U R E D N P T N P Y R T
K E G L D T T S A L T D R P N
C C E A P S T T S L H N S O I
E T L O E S Q O S P M U B X T
H T G G O A L S Q U A R E N T
C S H E P H E R D I N G F Y Y
```

| | | |
|---|---|---|
| ADVANTAGE | DROP PUNT | NINETEENTH MAN |
| BALL-UP | FIELD UMPIRE | OUT OF BOUNDS |
| BOUNDARY UMPIRE | FOOTPASS | PENALTY |
| BROWNLOW MEDAL | GOAL LINE | POCKETS |
| BUMP | GOAL SQUARE | RUCK-ROVER |
| CENTRE CIRCLE | GOAL UMPIRE | SHEPHERDING |
| CHECKING | INTERCHANGE | TORPEDO PUNT |

## No. 217 Finances

```
A S S I S T A N C E L E T Z C
T P U Y V T T V K S X S A C O
E A O B H C I I P P T R X H N
G R X C S R S P E R L U A I T
D M E C K I I N E O H P L L R
U I J M R E S A F N G Y L D I
B A U Y I E T T R L D V O B B
L O E T S T D M E I L I W E U
C A P I T A T I O N G R A N T
P E N S I O N A T N C P N E I
M A I N T E N A N C E E C F O
T G O I U E X I E C V Y E I N
U V V A L I M O N Y E U R T O
I N C O M E T N E M Y A P K K
E B U R S A R Y D O R R O C A
```

| | | |
|---|---|---|
| ALIMONY | CONTRIBUTION | POCKET MONEY |
| ANNUITY | CORRODY | PRIVY PURSE |
| ASSISTANCE | EXPENSES | REMITTANCE |
| BUDGET | INCOME | STIPEND |
| BURSARY | MAINTENANCE | SUBSISTENCE |
| CAPITATION GRANT | PAYMENT | TAX ALLOWANCE |
| CHILD BENEFIT | PENSION | TAX CREDIT |

## No. 218 Geographic Features

```
M E A D O W P A O G H D S T S
U W Z R O N D E B R E V I R V
R E S Y E G A C N V A O B E W
E U S T A L A C T I T E L S A
E X S S T V Y L L J N D Z E T
I U J U E G E N E O T S C D E
S P U R L F L I T P V L U N R
T T N S T A L A G M I T E L F
A N G G A T A T C F T H A C A
L R L A P T V N F I E S C H L
E A E O E E G U T S E I X R L
A A J C A N Y O N L G R T Y A
B T I L K A W M N A R A P A E
Y A T V O B S Q S N O A B S R
C S J Q S V C T O D G K X L L
```

| | | |
|---|---|---|
| ARCHIPELAGO | GORGE | RIVERBED |
| CANYON | ISLAND | STALACTITE |
| CAVERN | JUNGLE | STALAGMITE |
| CLIFF | MEADOW | VALLEY |
| DESERT | MOUNTAIN | VELDT |
| GEYSER | PEAK | VOLCANO |
| GLACIER | PENINSULA | WATERFALL |

# No. 219 Epicurean Philosophers

```
T S U H C R A M R E H H R S A
S D U P S F Q S I P S E H T E
O U E I S E L C O H T Y P I R
S P C M C U J P H A E D R U S
U U T S E U M E P I C U R U S
T C I E I T B E C A R O H C U
A A O R R E R L D O A F O U I
R T I R I R N I A O R D S Y T
T I T F S B O R U S L T P M E
S U I N I F A M A S U I A G R
Y S H G R F T R U C L T H P C
L S U R O D O L L O P A I P U
O P N O I T N O E L E D C T L
P A B A S I L I D E S R L O L
C K A F Z E N O O F S I D O N
```

APOLLODORUS        HERMARCHUS        POLYSTRATUS

BASILIDES          HORACE            PYTHOCLES

CARNEISCUS         LEONTION          RABIRIUS

CATIUS             LUCRETIUS         SIRO

DEMETRIUS LACON    PATRO             THESPIS

EPICURUS           PHAEDRUS          TITUS ALBUCIUS

GAIUS AMAFINIUS    PHILODEMUS        ZENO OF SIDON

## No. 220 Photography

```
R L A C O M P A C T K B H Y O
U L I E J P O R T R A I T D T
M R O P C R O A F W K E E L E
T T E P A C S D N A L P R P D
O G E R U S O P X E T W R F R
H J N P A R L S P H R Q E V U
S N H I F W H H O I Z I D S Q
P H S O T U O F S T O P N A A
A D C V T T F L A T I G I D A
N U M T O I E M L I F O F T R
S N E L E L G N A E D I W G E
U R E L A V T M G C Q M E O J
Y N D O P O N O M I R Q I R M
S N E L E M I R P K V O V S W
R U E U W T N Y I E O L W D W
```

| | | |
|---|---|---|
| COMPACT | JPEG | SHUTTER |
| DEPTH OF FIELD | LANDSCAPE | SLR |
| DIGITAL | MACRO | SNAPSHOT |
| EXPOSURE | MONOPOD | TELEPHOTO LENS |
| F-STOP | PORTRAIT | VIEWFINDER |
| FILM | PRIME LENS | VIGNETTING |
| FOCUS | RAW | WIDE-ANGLE LENS |

## No. 221 Rooms

```
Q G Y Y V A H S A V R V V R B
B C Z R E D R A L I U E S O S
R P I O T R M J L T E B L P P
M O S T U D Y O P L F F E J O
J O B A T H R O O M L O T A R
K L O V R A E L L R A L L E C
P B D R A I L L I B D A S A H
I T A E L R H T B V O E A P I
G D P S S L M P R E I K B Y X
L T R N E A A A A G D N O K T
U B O O M M I B R N U K G L U
D H T C A Q E U Y I T U F I H
O Z T M G A A N E N S R K S U
K T A G N E H C T I K R Y E A
O S F T T S O Y A D I U J S M
```

| | | |
|---|---|---|
| ATTIC | CONSERVATORY | LIVING |
| BALLROOM | DINING | LOFT |
| BASEMENT | GAMES | PANTRY |
| BATHROOM | HALL | POOL |
| BEDROOM | KITCHEN | PORCH |
| BILLIARD | LARDER | STUDIO |
| CELLAR | LIBRARY | STUDY |

## No. 222 Classic Toys

```
S S D R A C G N I Y A L P M H
J E L P B P U Z Z L E I O B S
R I R L L O S D E T U D U P R
O J G U A A U O D T E I O N A
C J W S G B S N L L L P L D C
K U T L A I D T C D Y L S L Y
I G H L C W F N I Y I T C A O
N A A O Y O Y N A C B E O U T
G R P D C P G U O S I A R Y E
H F E A B B B D M I K N L S S
O G E S L I N K Y T T C E L N
R U X O B E H T N I K C A J I
S K C I T S P U K C I P A J A
E K I T E O A S W S T J I L R
S P I N N I N G T O P E O R T
```

| | | |
|---|---|---|
| ACTION FIGURES | JIGSAW | ROCKING HORSE |
| BOUNCY BALL | KITE | SLINKY |
| BUILDING BLOCKS | MODEL | SOLDIERS |
| CUDDLY TOYS | PICK UP STICKS | SPINNING TOP |
| DOLLS | PLASTICINE | TOY CARS |
| JACK IN THE BOX | PLAYING CARDS | TRAIN SET |
| JACKS AND BALLS | PUZZLE | YO-YO |

# No. 223 Actresses Awarded Damehoods

```
X W T A T K C A X K X I Q O D
R S M F I A O S E L T W R A K
H R R I Q T M W K P C H I Z E
I I B E R V U E I R U I V L N
M G R L A R N R D T T T S R R
A G S D T D E D N A A T Q M A
T R W S A A L N R O J Y K D T
U C B L U A J A O O S L L T F
O S I I D E N C H S O I O O O
A N K Z T F T N T V R R V X R
H A T K I N S E L G A E N E C
V V S T C O O P E R J L D O H
A E T L N A R L K O I L I N S
T O L R E E D U T T X I A U A
N R U U W M R S M I T H I Q Y
```

| ANDERSON | EVISON | MIRREN |
| --- | --- | --- |
| ANDREWS | FIELDS | NEAGLE |
| ASHCROFT | FITTON | RIGG |
| ATKINS | HILLER | SMITH |
| COOPER | HIRD | TAYLOR |
| DENCH | JOHNSON | THORNDIKE |
| EVANS | KENDAL | WHITTY |

## No. 224 Water Features

```
A S P O N D T S H E T Z I A Q
A E A A G R I V U L E T R O U
L L T K C A A I U S A R O O B
S I T T L K B T T D L I R G E
X G A P T D O U D A T B S A U
A A S R B U A O K O H U S U N
D K X T T R Y E R R V T F S S
J E X F Y N R E A B R A S E I
E E L Z V W V P M A E R T S Y
T R E O A I I A I Q Z Y T W S
H C O L R D R T D C G G H A P
K N A Y S S E A C Q Q S S M R
H T T N H D E G Y Y S D D P S
H P D J A U F J A Q G S V T I
G N O B A L L I B L I E V B Y
```

| | | |
|---|---|---|
| BAY | LAKE | RIVULET |
| BILLABONG | LOCH | SEA |
| BROADS | MARSH | STRAIT |
| BROOK | POND | STREAM |
| CANAL | RAPIDS | SWAMP |
| CREEK | REEF | TARN |
| ESTUARY | RIVER | TRIBUTARY |

## No. 225 Opposites

```
D P Y V N H U M U R L U O I F
I S O E F H L U I T H I N T U
L E X T R I R H T R J T S V W
C U P Z L E T A A O S K J J L
A P Z H P I R W F H G I H B V
B Q R T F A Q T A S T O T L F
N M K L L C A P C S F F O T V
H E N V A O P P E M P T Y D Q
A V Y D R Y C Y T J X S P P A
F N Z T P T D L O E U U Z A F
G X H A L M A T F U I Q F R Q
R N I A U F B R A E N U V S I
S O O U K U O T C L L G Q A W
B U N C P I P D E L L O U D D
M V L B P U E O N W S N W G O
```

| | | |
|---|---|---|
| BAD | GOOD | QUIET |
| DRY | HAPPY | SAD |
| EMPTY | HIGH | SHORT |
| FACE TO FACE | LOUD | TALL |
| FAR | LOW | THIN |
| FAT | NEAR | WET |
| FULL | OLD | YOUNG |

# No. 226 Associated With Scotland

```
U B H L H S T L I K C G O Q J
C E L T I C A H R H I O S S T
E S E U G O R B E I L L I H G
K R L W H R T H D G E F G E N
E W E L L O A T H H A C G T I
Z H E T A K N I A L G O A L S
H S B R N W R K I A S U H A S
A Y N U D A E X R N T R D N O
S E A I D N H N X D O S I D T
A N R S A N A S I S C E C S R
Z K R R N T A T O N S S V Q E
P R O V C A N I N M O H U T B
T O P R I D L U G I A T C D A
O D S T N I F C O S A T N O C
E Q Q I G E P D T M G S I A L
```

| | | |
|---|---|---|
| ANTONINE WALL | HIGHLAND DANCING | SAINT ANDREW |
| CABER TOSSING | HIGHLANDS | SCOTS-GAELIC |
| CELTIC | KILTS | SGIAN DUBH |
| CLANS | LOCHS | SHETLANDS |
| GHILLIE BROGUES | MOUNTAINS | SPORRAN |
| GOLF COURSES | ORKNEYS | TAM O' SHANTER |
| HAGGIS | RED HAIR | TARTAN |

## No. 227　Nobles

```
R G B A W A N W C J J N W A P
O I M A R Q U I S X A L S V B
I M O I R A N A I C I R T A P
N V C J N O L L Q E Z A R V I
G I I I A W N I G S U O S A P
I C F S I R H E F X N V S S O
E O I Z C Z L G T E P A E O P
S M N F T O G K S R P D R U D
D T G H R H U S F J R E E R A
N E A D G R A N D D U K E H I
A E M B I U U N T L N N P R M
R E G A W O D N E E U Q K E I
G M A R C H I O N E S S Y E O
D I E O W M A R Q U E S S A R
H O K T T U R U Z I X A R J Q
```

| | | |
|---|---|---|
| BARONESS | LIEGE LORD | PATRICIAN |
| BARONET | LIFE PEER | PEERESS |
| DAIMIO | MAGNIFICO | QUEEN DOWAGER |
| GRAND DUKE | MARCHIONESS | THANE |
| GRAND SEIGNIOR | MARQUESS | VAVASOUR |
| JARL | MARQUIS | VICOMTE |
| JUNKER | NAWAB | VISCOUNTESS |

## No. 228 London Theatres

```
R  S  V  E  L  R  Y  P  R  Z  S  O  K  W  G
C  P  A  L  L  A  D  I  U  M  U  E  C  Y  L
E  R  O  T  S  Y  D  E  M  O  C  F  I  S  O
Z  I  I  L  S  A  D  S  V  P  P  I  R  A  B
T  N  A  T  D  O  L  N  S  U  E  O  R  N  E
O  C  L  E  E  V  G  D  A  E  L  K  A  Y  E
Y  E  S  E  L  R  I  T  W  C  B  T  G  A  L
Y  O  U  N  G  V  I  C  D  Y  I  N  P  Z  Q
G  F  O  R  S  G  A  O  F  O  C  B  A  D  X
D  W  E  E  O  S  M  P  N  P  U  H  R  W  U
O  A  T  I  U  I  K  A  O  A  R  N  W  A  S
L  L  A  V  N  A  L  J  F  L  C  K  U  A  B
M  E  X  I  H  P  L  E  D  A  L  D  V  E  V
T  S  O  L  G  F  O  A  P  C  P  O  A  Z  I
R  N  A  O  L  X  Q  L  S  E  Y  R  S  G  C
```

| | | |
|---|---|---|
| ADELPHI | DOMINION | OLIVIER |
| ALDWYCH | GARRICK | PALACE |
| APOLLO | GLOBE | PALLADIUM |
| BARBICAN | LYCEUM | PRINCE OF WALES |
| COMEDY STORE | LYRIC | SAVOY |
| CRITERION | NATIONAL | SWAN |
| CRUCIBLE | OLD VIC | YOUNG VIC |

## No. 229 Biblical Disciples

```
Q U J S W N J T N J R T K I L
R M P E P E P L I T I J Z L D
F O U S K R R A C T O T T N S
K N P X N N B D A H B B V X O
N O I I M B A R N A B A S Q M
O M M D L A R B O A C A A R Q
R I H S V I T E R A L N M S U
Q T U U U A H T T U E A O M G
R U H N P L O P H E O N H T T
S I L A S J L F S I P I T M T
L J U V D U O E C N A A I R O
T L R L P D M P G Y S S I Q L
S J H I W A E A J Y E R G C S
T S P S J S W U R U H V U K E
U I T S S P D P S K E P U U T
```

| | | |
|---|---|---|
| ANANIAS | JUDAS | PHYGELLUS |
| ANDREW | MARK | SILAS |
| BARNABAS | MATTHIAS | SILVANUS |
| BARTHOLOMEW | NICANOR | THADDEUS |
| CLEOPAS | PAUL | THOMAS |
| JAMES | PETER | TIMON |
| JOHN | PHILIP | URBAN |

## No. 230 Fonts

```
E  S  U  P  E  R  S  C  R  I  P  T  Q  S  A
G  T  I  M  E  S  N  E  W  R  O  M  A  N  C
S  R  U  T  E  C  A  P  S  O  N  O  M  S  O
C  I  L  A  T  I  E  N  I  L  R  E  D  N  U
S  K  R  A  J  S  S  I  S  I  O  R  B  R  R
N  E  P  S  C  V  N  T  T  S  M  B  S  B  I
G  T  H  A  G  I  B  A  T  O  E  P  M  O  E
T  H  R  N  L  N  T  L  S  L  L  R  A  Y  R
C  R  S  A  I  A  I  E  J  C  A  P  I  C  S
B  O  L  D  C  D  T  D  V  L  I  I  G  F  T
R  U  U  R  N  I  O  I  G  L  B  M  R  H  R
S  G  N  E  E  C  L  W  N  N  E  S  O  A  J
D  H  I  V  T  U  F  W  P  O  I  H  E  C  L
R  W  R  M  S  L  R  A  Q  F  X  W  G  I  P
Y  T  T  E  B  K  C  C  L  U  C  N  M  T  D
```

| | | |
|---|---|---|
| ARIAL | ITALIC | SUPERSCRIPT |
| BOLD | LUCIDA | SYMBOL |
| COMIC SANS | MONOSPACE | TIMES NEW ROMAN |
| COURIER | PALATINO | UNDERLINE |
| GEORGIA | SANS SERIF | VERDANA |
| HELVETICA | STENCIL | WIDE LATIN |
| IMPACT | STRIKETHROUGH | WINGDINGS |

## No. 231 Countries Ending With 'An' Or 'Y'

```
N Y H T F D O S U Z O W L C L
G R T U S U O R U K Q A O O T
K Y P I N B U L X E T T K R R
T N U Y C G E Y A U G A R A P
T A N Z U N A J I A B R E Z A
A M F A B C A R J E N E A R K
Y R Y G M E L C Y O O X S E I
L E Z F H O K T I V R C X I S
A G E J E A R I V T W D N R T
T U R K M E N I S T A N A A A
I I A Z T R B I D T Y V T N N
E Y K A Z A K H S T A N U A U
N A T S I K I J A T F N H P Q
J W S O U T H S U D A N B A T
M N K Y R G Y Z S T A N R J N
```

| | | |
|---|---|---|
| AFGHANISTAN | JAPAN | PARAGUAY |
| AZERBAIJAN | JORDAN | SOUTH SUDAN |
| BHUTAN | KAZAKHSTAN | TAJIKISTAN |
| GERMANY | KYRGYZSTAN | TURKMENISTAN |
| HUNGARY | NORWAY | URUGUAY |
| IRAN | OMAN | UZBEKISTAN |
| ITALY | PAKISTAN | VATICAN CITY |

## No. 232 Hats

```
P A W W Y A R D U N A R N G S
T U E U P U W E I M N K H A A
R R O T A I V A Q Q R F O I
U O D T C J Y A D C N W L C Q
K C C E R E L W O B S W U R Q
P U L T E I T J Y O B W O C D
R G F A H R L U M S S A W R E
R A E R C E S B Q K E P I E C
T N D I N F R T Y U N W Z G U
T D O P E E I C A L E P A Z R
B D R S R Z W A K L K T R Q U
A O A O T O Y C O C K E D I U
A G B E R E T L L A B E S A B
A Q E U Q O T A H P O T R X S
E U E R I Y P S E W Z L I S Y
```

| | | |
|---|---|---|
| AVIATOR | DEERSTALKER | TOP HAT |
| BASEBALL | FEDORA | TOQUE |
| BERET | FEZ | TOY |
| BOWLER | PIRATE | TRENCHER CAP |
| COCKED | SKULLCAP | TRILBY |
| COWBOY | SOMBRERO | TUQUE |
| CROWN | STETSON | WIZARD'S |

## No. 233 Parts Of The Brain

```
B E H I N D B R A I N L I C G
U L K E M E N I N G E S B C R
T C T T E M P O R A L L O B E
R I E B O L L A T E I R A P Y
E R R S U P M A C O P P I H M
T T S C E R E B R U M W U Z A
T N T U A E R A S A C O R B T
A E R A S E K C I N R E W L T
M V P I N E A L B O D Y T T E
E S U M A L A H T O P Y H L R
T G M U L L E B E R E C R O R
I P F O R E B R A I N S T E M
H P S P I N A L C O R D N T O
W U N I A R B D I M O S M O H
M E S E N C E P H A L O N R P
```

| | | |
|---|---|---|
| BRAINSTEM | HINDBRAIN | PINEAL BODY |
| BROCA'S AREA | HIPPOCAMPUS | PONS |
| CEREBELLUM | HYPOTHALAMUS | SPINAL CORD |
| CEREBRUM | MENINGES | TEMPORAL LOBE |
| CORPUS CALLOSUM | MESENCEPHALON | VENTRICLE |
| FOREBRAIN | MIDBRAIN | WERNICKE'S AREA |
| GREY MATTER | PARIETAL LOBE | WHITE MATTER |

## No. 234 Symbolic

```
F S I S Y Q R T T M G S W Z F
P O A H M U O S U E R P C T K
R E H P I C U P I T K O U Q N
K R A M R E T A W O A L A P H
I E U H P A R G O T C I P N K
L H M F K A U O O P X E R M O
I K A M I J G F G R R P T U T
C I R G A T A C O L O L Y G L
O B G A O R O D L B Y P W I R
N I O K M D G M L S R P J F S
G C E S E E P O W E R A H L T
I N D V G R D I N S I G N I A
S L I Z D I U A U O X H Z D M
N C I V A I Y P R P M X S S P
E Z O H B C R E S T Z X J O I
```

| | | |
|---|---|---|
| BADGE | HIEROGLYPH | PICTOGRAPH |
| BRAND | ICON | SHIELD |
| CIPHER | IDEOGRAM | STAMP |
| COAT OF ARMS | INSIGNIA | TOKEN |
| CREST | LOGO | TOTEM |
| DEVICE | MONOGRAM | TRADEMARK |
| ENSIGN | MOTIF | WATERMARK |

## No. 235 Made A Mistake

```
E V R K O O L R E V O P F F D
R K R D P C E M R M E A Q O R
U M A H A P F I I E U K P C T
L E E T F Z T S A L T T N S A
I K C L S X S P T T R M Y N G
A F L I C I W L Y D Q S T S E
F D G E O A M A A O B E H H S
I U I N T T B C R W L S G A Z
A D N A T S R E D N U S I M S
S S E P L U L D D Y N R S B O
C U G K U S O I E L D L R L T
O E L Z L P I T P R E A E E F
S U E S O D I M F S R H V S I
S E C M S T A L L E D O O C F
G F T I T T O V S F L G R M X
```

| | | |
|---|---|---|
| BLUNDER | LET SLIP | NEGLECT |
| DEBACLE | LOST | OMISSION |
| ERROR | MELTDOWN | OVERLOOK |
| FAILURE | MISLAID | OVERSIGHT |
| FAULT | MISPLACED | SHAMBLES |
| FIASCO | MISTAKE | SLIP-UP |
| LEFT OUT | MISUNDERSTAND | STALLED |

## No. 236 Feeling Sleepy

```
H Y N L X B D E H R W S L O W
W P Y E Q O S T Z N K R V I S
C E I H C I G R A H T E L U O
S E D C D F F O P O R D A Q I
G L R T T E A Z R W M L S B T
B S A C K T I M E A V N U T P
U H I B E R N A T I O N F A X
Y U N R A R T D O K A T R Z
R T E F P Y R U Z B T V E Y H
U E D Z A E Y I N I Y P V O R
U Y Y V S A N B G A O I U S I
C E H S I G G U L S S L D P V
B S A Y V A E H E L A L R S A
A R W B E D T I M E Z O D A K
P R U S C A A T L O D W O C M
```

| | | |
|---|---|---|
| BEDTIME | HEAVY | REPOSE |
| BUNK | HIBERNATION | SACK TIME |
| DOZE | LETHARGIC | SHUT-EYE |
| DRAINED | MATTRESS | SLEEPY |
| DROP OFF | NAP | SLOW |
| DUVET | OVERWEARY | SLUGGISH |
| FATIGUED | PILLOW | SNOOZING |

# No. 237 Also A Word When Reversed

```
S J O R G L S I D U E K X Q G
N P N Z K L P U U L L C J S F
J W F Z R K O P M D Z D G A H
R U T L E T O O H A A U B Y Z
L T I I I D W R T C N Q S L S
E F R V N L I H R S K G K W S
E N X E E O D T Q Q U T E T T
R T S D D R T M B B I N H M Y
E N E T S R H R E A I A G C N
V M B S E S A R S S X B R Z E
I O I W M W H W A R J I U K K
L I A R I B A T F J E O P J S
E R P O N P Z W E A C R C R L
D I A P E R T Q R S F R O V F
S S S Y D R Q P L H O S T K T
```

| | | |
|---|---|---|
| BAN | NOT | STOOL |
| DELIVER | RAIL | SUNG |
| DENIM | REEL | SWAP |
| EDIT | REINED | TAB |
| EMIR | REPAID | TEN |
| GUNS | REWARD | TIN |
| LIVED | STEW | WARDER |

## No. 238 Varieties Of Cheese

| | | | | | | | | | | | | | |
|---|---|---|---|---|---|---|---|---|---|---|---|---|---|
| G | K | B | U | F | A | T | F | J | K | O | L | H | U | X |
| H | I | C | F | E | U | I | S | R | T | R | S | J | E | F |
| S | W | M | P | E | C | O | R | I | N | O | A | K | S | A |
| R | L | E | O | A | T | T | O | C | I | R | M | U | E | N |
| R | M | N | N | U | X | A | E | S | L | P | A | H | Q | I |
| O | N | O | T | S | S | O | K | S | O | E | S | Q | A | T |
| A | A | L | L | N | L | E | B | R | R | M | C | L | C | N |
| Z | M | O | E | A | A | E | T | E | F | H | A | A | A | O |
| L | S | V | V | T | R | S | Y | R | E | V | R | D | M | F |
| T | T | O | E | G | A | U | E | D | A | S | P | U | E | H |
| A | N | R | Q | L | R | Z | D | M | A | P | O | O | M | I |
| A | U | P | U | G | X | A | C | T | R | L | N | G | B | E |
| S | H | T | E | M | R | B | E | L | P | A | E | S | E | P |
| A | R | I | Z | E | L | A | O | P | O | E | P | U | R | R |
| Z | I | X | I | R | T | R | O | N | O | T | L | I | T | S |

| | | |
|---|---|---|
| BEL PAESE | GRUYERE | PONT-L'EVEQUE |
| CAMEMBERT | HUNTSMAN | PORT SALUT |
| CHEDDAR | JARLSBERG | PROVOLONE |
| EDAM | MASCARPONE | QUARK |
| FETA | MOUSE-TRAP | RICOTTA |
| FONTINA | PARMESAN | STILTON |
| GOUDA | PECORINO | WENSLEYDALE |

# No. 239 Laws Of Governance

```
V M N C L A N I M I R C D L U
S L C O D I F I E D A L X E D
L E P T N J O X X N T A Q D V
F L E R G A C Q T A I N C P R
Q E P U O I C I T C F O O P J
O C V H S P T N R R I I N V T
L T N E R R E U A K E T T I V
A I G E U L A R O M D A R Z A
C O N S T I T U T I O N A L O
I N T N B T U M T Y S R C I F
L O Y R A T I L I M K E T V X
B M P N A T U R A L T T E I V
I M S F J K U A W Q S N S C L
B O M Z V F I N A N C I A L Q
W C Z W U T K L Z W U N C Z N
```

| ANTI-TRUST | CONSTITUTIONAL | MILITARY |
|---|---|---|
| BIBLICAL | CONTRACT | NATURAL |
| CANON | CRIMINAL | ORAL |
| CASE | ELECTION | PROPERTY |
| CIVIL | EXCISE | RATIFIED |
| CODIFIED | FINANCIAL | ROMAN |
| COMMON | INTERNATIONAL | UNWRITTEN |

# No. 240 Scientific Laws Named After People

```
N E S J S D S E K O O H O N Y
H U M E S K C N A L P U T V B
P G H B M L N U O H I B P O R
H M O O A S F T R T X B Y Z T
T T J P H P S N E I W L B S L
V M E T A S N P D Y E E U E T
F C E B R B F R E S R S N L P
X A O N G Q S F M N T T T U A
U T V U D L A V O G A D R O S
Z Z T G L E P U R H Y A A J C
O O A R W O L K G T H U E Z A
O R P E E L M S A V W C P P L
N X G O I P M B N K Y Y R S S
R O O S N I E T S N I E K I S
R Q A M P E R E S R E L P E K
```

| | | |
|---|---|---|
| AMPERE'S | EINSTEIN'S | KIRCHHOFF'S |
| AVOGADRO'S | GRAHAM'S | MENDEL'S |
| BERNOULLI'S | HOOKE'S | NEWTON'S |
| BOYLE'S | HUBBLE'S | OHM'S |
| COULOMB'S | HUME'S | PASCAL'S |
| CURIE'S | JOULE'S | PLANCK'S |
| DE MORGAN'S | KEPLER'S | WIEN'S |

## No. 241 Olympic Cities (Winter Games)

```
C G L P Y E O N G C H A N G P
B O G A R M I S C H U C A O M
F L R R X S R K O S A V B E
S I Y T I C E K A L T L A S O
E L N E I T Q T X S M G N A T
L L H N L N V H U O O A C R R
B E L K S L A P U R R R O A F
O H O I X B A D H I I Y U J G
N A N R V I R V A H T N V E P
E M A C O T N U W M Z S E V O
R M G H R P R O C A P M R O J
G E A E V U P E M K U E L C M
U R N N Y J Z A B A T Q Z U K
A A I K I H C O S L H L S Z A
C T P W L A K E P L A C I D O
```

ALBERTVILLE

CALGARY

CHAMONIX

CORTINA D'AMPEZZO

GARMISCH

GRENOBLE

INNSBRUCK

LAKE PLACID

LILLEHAMMER

NAGANO

OSLO

PARTENKIRCHEN

PYEONGCHANG

SALT LAKE CITY

SAPPORO

SARAJEVO

SOCHI

SQUAW VALLEY

ST MORITZ

TURIN

VANCOUVER

## No. 242 Venomous Snakes

```
D E K E I N D I A N C O B R A
A T E M P L E P I T V I P E R
E I E E C N A L E D R E F P A
H N O Y G W A R D A R U U I R
R L R E P I V N O O B A G V B
E A B L A C K M A M B A R S O
P N N A P I A T L A T S A O C
P D Q S B U S H M A S T E R N
O T M H E G R E E N V I N E A
C A E V P A R B O C E P A C I
O I K I N G C O B R A U Q O T
R P A P U A N T A I P A N N P
A A R E D D A N O M M O C I Y
L N T R E D D A F F U P T H G
Q R U S S E L L S V I P E R E
```

| | | |
|---|---|---|
| BLACK MAMBA | EGYPTIAN COBRA | INLAND TAIPAN |
| BUSHMASTER | EYELASH VIPER | KING COBRA |
| CAPE COBRA | FER-DE-LANCE | PAPUAN TAIPAN |
| COASTAL TAIPAN | GABOON VIPER | PUFF ADDER |
| COMMON ADDER | GREEN VINE | RHINOCEROS VIPER |
| COPPERHEAD | GWARDAR | RUSSELL'S VIPER |
| CORAL | INDIAN COBRA | TEMPLE PIT VIPER |

## No. 243 Greek Gods

```
O A Z A S O N P Y H I G E L H
W R R B S I T O E U A R R E P
W P R L U E A L D S T T R Z Y
R A E U G R I R S I P M R H A
B Z U C S O D K E A E U T P O
W T A G S S I U T S S A N P
S I T T A D O N I S I U O A O
B E S R H N N J M E M I T P C
T I F R U A Y N U A O P H C E
S A E O L U S M N N R E A R A
L G H F O H U R E H P L N O N
A B O R E A S R X D H C A N U
Y R X S P H E P H A E S T U S
V A R P L U A V Z G U A O S U
A O Q D S R H A D E S F S T R
```

| | | |
|---|---|---|
| ADONIS | DIONYSUS | HYPNOS |
| AEOLUS | EROS | MORPHEUS |
| ARES | GANYMEDE | NEREUS |
| ASCLEPIUS | HADES | OCEANUS |
| ATTIS | HELIOS | PAN |
| BOREAS | HEPHAESTUS | POSEIDON |
| CRONUS | HERMES | THANATOS |

## No. 244 Booker Prize Winners

```
Q Y P M N O S B O C A J U C X
F B L S G N A W E C M B J L L
F W Q E L N V I W T T A Y B Q
S E E D V E I D H S U R F W T
T N S I B I T D O Y D K P H V
O N L D P A L R L O C E S R U
R L P G A D I G A O W R S R U
E N R I G H T P P M G T Q A Z
Y J T E C F S F O M A H A J I
I O T J S O O P I R I D A D A
L T S A A T A S N W E T M E Z
T E D M A N T E L I S G S P L
P N H C O D R U M Q P F E W R
H T R O W S N U V J F W X K T
O M A R U R G O K R I R E U R
```

| | | |
|---|---|---|
| ADIGA | GOLDING | NEWBY |
| ATWOOD | JACOBSON | OKRI |
| BANVILLE | LIVELY | ONDAATJE |
| BARKER | MANTEL | RUSHDIE |
| BYATT | MARTEL | STOREY |
| DESAI | MCEWAN | SWIFT |
| ENRIGHT | MURDOCH | UNSWORTH |

# No. 245 Associated With Wales

```
Y V S A E S Z I B O E E M H F
R K D R M G S G F X J G A V U
J G I T A I J E N C O A L A U
D F U H N T N D L I W U E L O
I T R U N N E I Q T G G V L N
V A D R W E U O N P S N O E O
A A A I O C P S R G M A I Y G
D D F A T C S E R U R L C S A
T U F N T A G B E U A H E K R
N D O L S H N F G H F S C E D
I C D E E S M B C Z S L H E D
A A I G G L Y V N E N E O L E
S C L E N E Z Q D T L W I S R
N M S N O W D O N I A T R E K
L Z A D L D O F D D E T S I E
```

| ARTHURIAN LEGEND | FARMS | SAINT DAVID |
|---|---|---|
| CASTLES | LEEKS | SHEEP |
| CELTS | LONGEST TOWN NAME | SINGING |
| COAL | MALE VOICE CHOIRS | SNOWDONIA |
| DAFFODILS | MINING | VALLEYS |
| DRUIDS | RED DRAGON | WELSH ACCENT |
| EISTEDDFOD | RUGBY | WELSH LANGUAGE |

## No. 246 Visiting Norway

```
O X D N U S R E G E E S O G S
Y L O S F S A U D N U S R A F
D U P O R S G R U N N I M P J
T C V U E E H P P V M R I N R
A R N T D A M U N S I S I N V
S K I V R A L M T G B U Y U Z
A J L S I O A A A F T O R D E
K N T H K E D G E H A E R P Y
Q A D X S D N X R F E L X G A
D M L R T L E L Z H A L D E N
A S A T A O R P H Z O K L W J
T O S N D M A A O N A R V I K
O S L O D O M I T F A X T X L
T O U T M A Z E M I T R K E L
Y M U L R E L E N E G R E B N
```

| | | |
|---|---|---|
| ARENDAL | HALDEN | MOLDE |
| BERGEN | HAMAR | MOSS |
| DRAMMEN | HARSTAD | NAMSOS |
| EGERSUND | HORTEN | NARVIK |
| FARSUND | LARVIK | OSLO |
| FREDRIKSTAD | LILLEHAMMER | PORSGRUNN |
| GRIMSTAD | MANDAL | SARPSBORG |

# No. 247 Shakespearean Tragedy Characters

```
R  J  G  I  A  T  C  Z  T  P  A  P  S  L  A
C  P  N  B  G  O  D  I  P  I  T  F  S  O  E
O  O  L  L  U  O  L  E  I  F  U  P  O  F  S
D  S  R  J  M  E  R  C  U  T  I  O  I  Y  P
J  U  L  I  U  S  C  A  E  S  A  R  P  S  P
T  T  A  O  L  D  A  E  A  N  T  O  N  Y
U  U  E  S  D  L  I  F  S  L  Q  I  L  X  R
F  R  S  L  D  Y  A  E  R  S  G  A  O  X  I
T  B  S  U  M  R  M  N  T  K  I  N  N  R  J
U  F  T  R  I  A  O  A  U  O  B  O  I  W  S
I  J  S  T  T  D  H  M  C  S  R  A  U  K  S
T  G  E  R  T  R  U  D  E  B  G  E  S  M  S
R  I  H  E  A  R  T  A  P  O  E  L  C  G  Q
H  O  R  A  T  I  O  L  L  E  H  T  O  I  H
M  V  M  T  X  F  F  U  D  C  A  M  H  L  C
```

| ANTONY | GERTRUDE | LADY MACBETH |
|--------|----------|--------------|
| BRUTUS | HAMLET | MACDUFF |
| CASSIO | HORATIO | MERCUTIO |
| CICERO | IAGO | OTHELLO |
| CLAUDIUS | JULIET | POLONIUS |
| CLEOPATRA | JULIUS CAESAR | PORTIA |
| CORIOLANUS | KING LEAR | ROMEO |

## No. 248 Weird Words

```
S F J Y A A Y K N U F H O P P
D R S R B E R R A Z I B I T U
I H S I D N A L T U O D E J T
F O I L X Z N E M L V O S T C
F R F S A O I N K A A L U L K
E A E F S M D K O O K Y O A L
R I N A B U R O O M Z S I R A
E L T T K E O O H K M F R U U
N U E D A Y A L N T E O U T S
T C Y P R S R T U B R O C A U
T E C C E N T R I C A O R N N
N P U Z D V X I S A I J N N U
H H E Q U E E R C O D D E U Q
X A R R G T A D A P D R I E W
A R R Z R E Z E L Q P T B R U
```

ABNORMAL            FREAKY              QUEER

BIZARRE             FUNKY               RIDICULOUS

CURIOUS             KOOKY               UNCOMMON

DIFFERENT           ODD                 UNNATURAL

ECCENTRIC           OFFBEAT             UNORTHODOX

EXTRAORDINARY       OUTLANDISH          UNUSUAL

FANTASTIC           PECULIAR            WEIRD

## No. 249 Facial Features

```
S E S I R I S C C S V W V U S
W K A T P X D H R S L O P U P
O A E U B I I Q E R U A I Y F
R R J E M N B P A X M R C I L
B H U P H X S K S L I P U P S
E R L U I C L L E T R A P A R
Y E N I L R I A H E M T T A R
E R U T C U R T S E N O B G S
E X E C B S T E A F Y N U N R
I Q Y T S M S S L S L G F T O
D A E H E R O F E W S U J U H
Q C S O S E N A Y O R E R U O
S R O R V P T R E R T H T T A
Z Y N I A I D H O C Z T Y I P
M D Q I Z S L W B G I A F T B
```

| | | |
|---|---|---|
| BONE STRUCTURE | EYEBROWS | JAW |
| CHEEKS | EYELASHES | MOUTH |
| CHIN | EYES | NOSE |
| CREASE | FOREHEAD | NOSTRILS |
| CROW'S FEET | FURROW | PUPILS |
| DIMPLE | HAIRLINE | TEETH |
| EARS | IRISES | TONGUE |

## No. 250 Breeds Of Dog

```
R P T R D G P S U R F D L P F
G O M C N S P I T Z A E F Q P
O O W T U M O P N L H T Q P C
D D L R H A I F M S O X E H U
L L M E S S N A J S C A I A P
L E O Z H T T A Q M U H T S C
U K N U C I E Y K S U H E G Q
B Z T A A F R C U A C T R R M
G Q T N D F R B H S T E R P S
Z A E H A T E U U E Y W I Q C
S J I C I A A U R H D A E H W
S O P S G H J E O V P S R K K
Q U L L E S S U R K C A J N T
G O E A Y X N A F G H A N F N
N R K S M D Z T E U I I P A Z
```

| | | |
|---|---|---|
| AFGHAN | GREYHOUND | POODLE |
| BEAGLE | HUSKY | PUG |
| BULLDOG | JACK RUSSELL | SCHNAUZER |
| CHIHUAHUA | KELPIE | SETTER |
| DACHSHUND | MASTIFF | SHIH TZU |
| DALMATIAN | PINSCHER | SPITZ |
| GREAT DANE | POINTER | TERRIER |

# Solutions

## No. 1

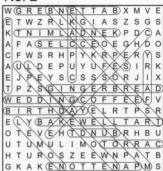

## No. 2

## No. 3

## No. 4

## No. 5

## No. 6

# Solutions

## No. 7

## No. 8
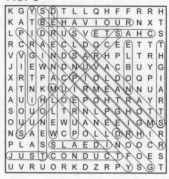

## No. 9
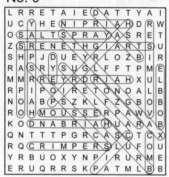

## No. 10

## No. 11

## No. 12

# Solutions

## No. 13

```
R D Y R L U P C L K S L R T D
O J I W W H X F A P L C T M R
C A A O V E I T I O T A I O T
I N E E N L R T E S S R R Q P
L U H N Q E O S E A I O D R K
F S R O C N I A S L R D C P P
R U P H E E B G C T V N P H N
G E E T E S L D Y A Q A G O T
L H A E O U A A Y Y L P W E I
T T V M A T N P D L S Y L B T
Y E P I M E T H E U S E P E A
I M T J Z P H N Y T S M U S N
T O L H L A E I I T X X N E O
O R O N Y I U S O M U T X L C
Z P S O S S A M I M Y I O C I
```

## No. 14

```
A L T T J O I Y E T L E G A D
K I M N H F M O L T A B R E C
Q Y Z T U U E L A R A U T V T
I K E E F R K R A M E R N T A
R D I V U L G E R E U P O Y L
K S L R N E N J T M V T L R O
U W T E E O T O I A T E T Y P
E R D S T W C I C I Q E R E K
T N B F A S N U N W Q A O R
N A O O T Q M N L T S I H O
K M P V R A I A A R O I W S
S L S U G G E S T I C U U R P
E R E T G L R P E N E V O L U
Q D R A W L D E E C I O V T T
E W T S A A S S E R T R I K E
```

## No. 15

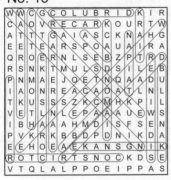

```
W W C G C O L U B R I D K I R
C A O V R E C A R K O U R T W
A T T G A I A S C K N A H G
E E T E A R S P O A U A I R A
Q Z R O E R N L S E B Z P T R D
R S N K T M U L S D S I L E B
P I N M A E J O E T N Q A A D U
I T N A O N R E A C A O A T L N L
K U U S S S Z K C M H K P I L
V E T L N L E P A A U E W S
I B H A A A H M D I S F S E N
P V K R K B B D P D N I K D A
E E H O E A E K A N S G N I K
R O T C I R T S N O C K D S E
V T Q L A L P P O E I P P A S
```

## No. 16

```
U L Y S S E S T O I D I E H T
T E B O F C S A C C E B E R E
S B M E C A E P D N A R A W U
I S O N S A N D L O V E R S G
W Z A N N A K A R E N I N A E
T R E A S U R E I S L A N D N
R A M H C R A M E L D D I M E
E T M N E M D N A E C I M F O
V I L A M R A F L A M I N A M N
I L Y R A V O B E M A D A M E
L O R D O F T H E R I N G S
O L S T E T R A U Q R U O F I
T H E G R E A T G A T S B Y N
P S E I L F E H T F O D R O L
F B L E A K H O U S E V K P G
```

## No. 17

```
L O R U L E R L E K L L I R D
R I A Q K S A M G N I D L E W
R J Y I A T B E G P A P F N M
P T X W H A W A C P L L E N B
L O I E U I O S T I T A P A L
J T P S R A R U E L V R X P O
I K M F Y E C R Y E I H E S W
S R A P S N S I I S N A L C T
S O L D E R I N G I R O N R O
T Z C S L E D G E H A M M E R
S Z L Z U K R T E C O W S W C
E Q O U S Q U A R E O O S S H
A T Y X T E T P I N C E R S L
N S A M A L L E T L O J U T L
R H L E F I R N S Q R I F O X
```

## No. 18

```
S P E T S Y R A R B I L Q T E
R E D D A L K O O H R U Y X L
R E D D A L T H G I A R T S O
S I D E L A D D E R F E F N F
R E D D A L P E T S N E D W T
A W K I T C H E N S T E P S L
E N I L T A R E I R T E S S A
R E D D A L F O O R P L C T E
R E D D A L N R E T S E A E D
R E D D A L M R O F T A L P E
R E D D A L E P O R A E E S R
R E D D A L G N I L L O R T B
R E D D A L N O I N A P M O C
R E D D A L G N I D L O F O U
R E D D A L Y A W G N A G L P
```

# Solutions

## No. 19

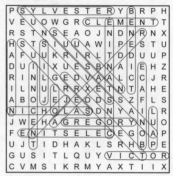

## No. 20

## No. 21

## No. 22

## No. 23

## No. 24

# Solutions

## No. 25
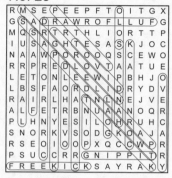

## No. 26

## No. 27
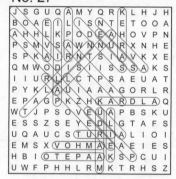

## No. 28

## No. 29

## No. 30

# Solutions

## No. 31

## No. 32

## No. 33

## No. 34

## No. 35

## No. 36

# Solutions

## No. 37

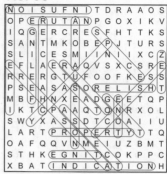

## No. 38

## No. 39

## No. 40

## No. 41

## No. 42

# Solutions

## No. 43

## No. 44

## No. 45

## No. 46

## No. 47

## No. 48

# Solutions

## No. 49

## No. 50

## No. 51

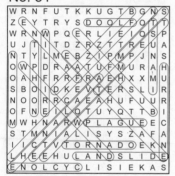

## No. 52

## No. 53

## No. 54

# Solutions

## No. 55

## No. 56

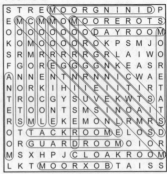

## No. 57

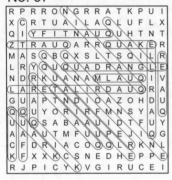

## No. 58

## No. 59

## No. 60

# Solutions

## No. 61

```
S S T T T T A I Z B X Q A S J
S W S D I Q M J Y T D N E N U
D A E U V P O T I T E B I V E
W A T E L U J W R S B A I N
R S B R T R O O S I R D W I
J A V Z Z H O M U F R H V E K
H E A D O V E R H E E L S V E
U L L O R O P A S S I O N O C N
G D E I W C H E R I S H M L N
J D N K A D N O I T A R O D A
Y U T S A I X I P J O T T F M
P C I S P Y S Y Y Q L L S L O
T I N S S A P O G C I D D A R
E K E U G I R T N I B A S M J
P F A O R T K K Q X B H S E T
```

## No. 62

```
A K N Y T Q M L U F E R A C Q
R R A L U C I T R A P T O S E
L T F Y S C O N S T A N T D V
S H E A S U O I R T S U D N I
R O O P S U O L U C I T E M T
I R S N A T B I Z F S K A N E
G O U O O I E L U T V F D E
R G L P D T R S I Q T L D F T
D H U Y I Z Y A T O I C W I A
U D P O M M W G B A U A N G T
S T U D I O U S T L K S R U M
W S R E A R N E S T E I H P P
Z S C H A R D W O R K I N G L
E A S S I D U O U S S Y Y G S
```

## No. 63

```
E S O O G E C U R P S W O L I
M P M I R A G E W O N T V Z V
E I N N I G S U O R O M A L G
S R E G A Y O V R A R E A R R
S I L L M Z L U L G T N I E E
E T G A L T Z V D E H A R T Y
R O S D S E O M C V R C F H L
S F U Y P N B U R D O I O G F
C S O B I O T S U E P R R I T
H T R E T L E T I E A R C F H
M L O G F A N A S H L U E O O
I O M O I I G R N E K P H O R
T U A O R A O G R C H M N U R
T I L D E Y H Y C O A E E E W
Z S G R A T S R A L O P S M D
```

## No. 64

```
O L P I N T O C C S E A A U I
O N E N O U T S R K K X S L T
S K A A S N J F R E D W T S P
N W D O R T I O U W A U U S H
Q X A R R S S M P B R M N B I
K P Y S E H E O A K M T L D
P N P R G H U A F L B E S O L
E A L R N C F L S D A Z E O L
N B E O T T Y B O Y P H D A
U Y G B N H O N W O R B C B P
S A R W I G V F A R R R R A W
F L E A B I T T E N G R E Y
Q C Y R L L I T R L C K V L M
H I N T A L G D L A B E I P I
V P K S T E E L G R E Y L T Z
```

## No. 65

```
S P I E V J K A D X R P L S M
U C Y A N Y L X A V S B A U
O L T S N A E L U R E C J Y R
C K T I N D I G O S C R I R T
U C Y R N W N S A B A E U S T
A A E I A S B P X S O M D A Z S
L Q O W V M P U H B W S K A
G T Z U Y H A E W S R O Y A L
E L K N I W R E P I P M T U
D A X R T H G I N D I M T C
N B E P E R S I A N G Y X P Z
S O T U R Q U O I S E L R O E
I C T A T O A C A U N Z E P A
L Y M E P D V K P A L V Q R C
P T E Y R T R A G E T E C C T
```

## No. 66

```
D C R S I N N E T E K C I R C
L D H G N I W O R E C C O S A
A L L A B T E K S A B W U S J G
B A R O U N D E R S A T B V I
T B G M I L E C C R L L G A S Y
O E N O R L P E K F L Z N C H
O S V E L T H T I E A D I R B
F A C I T O A A Y T B J L O S E
E B G U C B P B T A T R I S E
W R U K R H A R L M F S A S T
T S E R E L B L E I O S S L U
J Y I A L T I L L T S V C B O
T D P M A B E N H L L A S A V Z
R U G B Y L E A G U E W A E U
```

# Solutions

## No. 67

## No. 68

## No. 69

## No. 70

## No. 71

## No. 72

# Solutions

## No. 73

## No. 74

## No. 75

## No. 76

## No. 77

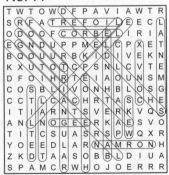

## No. 78

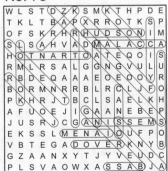

# Solutions

## No. 79

## No. 80

## No. 81

## No. 82

## No. 83

## No. 84

# Solutions

## No. 85

## No. 86

## No. 87

## No. 88

## No. 89

## No. 90

# Solutions

## No. 91

## No. 92

## No. 93

## No. 94

## No. 95

## No. 96

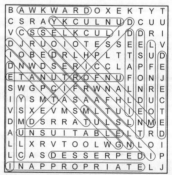

# Solutions

## No. 97

## No. 98

## No. 99

## No. 100

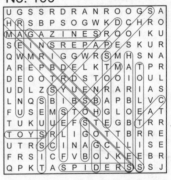

## No. 101

## No. 102

# Solutions

## No. 103

## No. 105

## No. 107

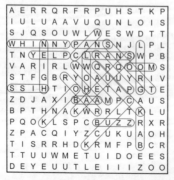

## No. 104

## No. 106

## No. 108

# Solutions

## No. 109

## No. 110

## No. 111

## No. 112

## No. 113

## No. 114

# Solutions

## No. 115

## No. 116

## No. 117

## No. 118

## No. 119

## No. 120

## No. 121

## No. 122

# Solutions

## No. 123

## No. 124

## No. 125

## No. 126

## No. 127

## No. 128

## No. 129

## No. 130

# Solutions

## No. 131

## No. 132

## No. 133

## No. 134

## No. 135

## No. 136

## No. 137

## No. 138

# Solutions

## No. 139

## No. 140

## No. 141

## No. 142

## No. 143

## No. 144

## No. 145

## No. 146

# Solutions

## No. 147

## No. 148

## No. 149

## No. 150

## No. 151

## No. 152

## No. 153

## No. 154

# Solutions

## No. 155

## No. 156

## No. 157

## No. 158

## No. 159

## No. 160

## No. 161

## No. 162

# Solutions

## No. 163

## No. 164

## No. 165

## No. 166

## No. 167

## No. 168

## No. 169

## No. 170

# Solutions

## No. 171

## No. 172

## No. 173

## No. 174

## No. 175

## No. 176

## No. 177

## No. 178

# Solutions

## No. 179

## No. 180

## No. 181

## No. 182

## No. 183

## No. 184

## No. 185

## No. 186

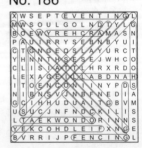

# Solutions

## No. 187

## No. 188

## No. 189

## No. 190

## No. 191

## No. 192

## No. 193

## No. 194

# Solutions

## No. 195

## No. 196

## No. 197

## No. 198

## No. 199

## No. 200

## No. 201

## No. 202

# Solutions

## No. 203

## No. 204

## No. 205

## No. 206

## No. 207

## No. 208

## No. 209

# Solutions

## No. 211

## No. 212

## No. 213

## No. 214

## No. 215

## No. 216

## No. 217

## No. 218

# Solutions

## No. 219

## No. 220

## No. 221

## No. 222

## No. 223

## No. 224

## No. 225

## No. 226

# Solutions

## No. 227

## No. 228

## No. 229

## No. 230

## No. 231

## No. 232

## No. 233

## No. 234

# Solutions

## No. 235

## No. 236

## No. 237

## No. 238

## No. 239

## No. 240

## No. 241

## No. 242

# Solutions

## No. 243

## No. 244

## No. 245

## No. 246

## No. 247

## No. 248

## No. 249

## No. 250